BEPPE SEVERGNINI

L'italiano

Lezioni semiserie

Rizzoli

ISBN 978-88-17-01311-6

Prima edizione: agosto 2007
Seconda edizione: settembre 2007
Terza edizione: settembre 2007
Quarta edizione: settembre 2007
Quinta edizione: ottobre 2007

www.beppesevergnini.com
www.rizzoli.eu

Realizzazione editoriale: Studio Editoriale Littera, Rescaldina (Mi)

L'italiano
Lezioni semiserie

*A Luna, a Romeo
e a tutti quelli che scrivono da cani*

Chi scrive bene è scientificamente sospetto.

Theodor W. Adorno

Tecniche di investigazione

Ho scritto questo libro per denunciare le violenze commesse contro l'italiano, ma non chiedo condanne. Lo scopo è la riabilitazione. Scrivere bene si può, e non è neppure difficile. L'importante è capire chi scrive male, e regolarsi di conseguenza.

La criminologia linguistica è divertente perché non scorre sangue (neppure inchiostro, ormai). I malavitosi della sintassi sono gente interessante, così i fuorilegge dell'ortografia e i disadattati della punteggiatura. Studiare le loro malefatte è un modo per redimersi; oppure per peccare ancora, con più gusto e consapevolezza.

Qualcuno dirà: quante storie, oggi ognuno scrive e parla come vuole! Certo. Ma deve sapere che verrà giudicato e classificato, ammirato o deriso; che risulterà efficace o poco convincente, che otterrà uno scopo oppure lo mancherà (per una metafora usurata, magari; o per un'esibizionistica espressione inglese).

Le regole, nella lingua e in altre attività umane, non sono imposte a capriccio. Sono (quasi sempre) il distillato dell'esperienza, e producono risultati. Pensate al tennis o al golf.

Il neofita pensa: vado in campo, colpisco la palla come mi pare, e vinco. Non è così. Quel principiante andrà incontro a una sconfitta disastrosa (e a una figura barbina). Le norme – i movimenti studiati di un rovescio e di un *drive* – sono il frutto di un perfezionamento e per adesso garantiscono il massimo dell'efficienza. Colpita in quel modo, la palla viaggerà più forte, più lontano, più precisa.

Un giorno qualcuno inventerà di meglio: allora si cambierà. Ma saranno norme che sostituiscono altre norme. Il caos volonteroso non porta da nessuna parte. Chi sa colpire la palla vince la partita. Chi conosce la grammatica è più efficace di chi non la conosce. Il miraggio dell'originalità, di solito, porta solo alla confusione e all'incomprensibilità.

Certo, chi sbaglia ha attenuanti. Pensosi editorialisti ammucchiano subordinate esplicite e implicite all'inizio del periodo, costringendo il lettore all'apnea mentre aspetta la reggente. In terza media non la passerebbero liscia, ma i direttori dei giornali lasciano fare. Si tratta di sadomasochismo intellettuale, non prendetelo a esempio. Ricordate, invece: chi scrive chiaro, sa scrivere.

La semplicità – non solo nella lingua – è fatica invisibile, ma porta vantaggi evidenti. La posta elettronica ha reso la scrittura importante come nell'Ottocento, prima dell'invenzione del telefono. Quello che scrivete, e come lo scrivete, può cambiare la vostra vita. Certo: ho saputo di un trentenne che ha trovato la fidanzata sebbene chiudesse i messaggi con «Voglia gradire i miei più cordiali saluti» (e lei, pazza, gradiva). Ma sono eccezioni. Il delinquente, di solito, paga per le sue malefatte.

Perché, allora, mi oppongo a processi e condanne? Semplice: perché non servono. Una lingua dev'essere maltrattata. È una prova d'affetto (nostro) e di vitalità (sua). L'eccessivo rispetto maschera il disinteresse. Le lingue morte non le molesta nessuno.

Un secondo motivo per cui ho rinunciato ai rinvii a giudizio: molti hanno tentato invano, e avevano più titoli di me. Negli anni, ho letto buoni libri che invitavano al rigore linguistico. Tra gli altri, quello di Luciano Satta, un autore che usava la «matita rossa e blu». Lodevole: ma nemmeno se avesse imbracciato un bazooka sarebbe riuscito a debellare certe abitudini.

Infine, fondamentale: questo è un libro ottimista. Le lacrime sulla lingua sono salate e tristi, e non servono. Scrivo sui giornali dal remoto 1979 – avevo ventidue anni, i capelli neri e l'avverbio facile – e penso di aver imparato alcuni trucchi. Trucchi onesti, che si possono insegnare (per esempio: come usare i due punti, il più sexy tra i segni d'interpunzione; come scegliere un aggettivo; come evitare due *che* in una frase, tanto brutti da essere illegali).

Di questo, negli ultimi anni, ho scritto sul «Corriere della Sera», su «Io Donna» e nel forum «Italians» (www.corriere.it/severgnini). Ne ho parlato all'Università Bocconi di Milano, al Trinity College di Dublino, al Middlebury College nel Vermont; e davanti a traduttori e interpreti dell'Unione Europea a Bruxelles. Ben più impegnativo, ma fonte di altrettanta soddisfazione, è il piccolo corso di scrittura che ho tenuto a Crema, la mia città, per i ragazzi della scuola media Vailati e del liceo-ginnasio Racchetti; e a Milano, per gli studenti dei licei Berchet e Beccaria. Il fatto che mi abbiano lasciato finire il discorso lascia ben sperare.

***

Bene, questa era l'introduzione. Ora occorre essere pratici. Cosa faremo per affrontare, disarmati, la lingua criminale? Quali le tecniche di investigazione, i delitti più comuni e i metodi di riabilitazione?

Il programma è questo. All'inizio ci occuperemo delle fattispecie di reato. Cominceremo dal Decalogo Diabolico: potrete stabilire così dove è arrivato il vostro degrado. Segnaleremo poi misfatti di moda, provocazioni, infrazioni lievi, qualche truffa: così saprete a chi dare la colpa. Alcuni di questi reati meritano un'indagine, altri una sceneggiatura. Perché c'è qualcuno che ci dice qual è la sua *mission*, invece che spiegarci cosa cavolo vuole fare?

Subito dopo ci dedicheremo alle psicopatologie che stanno alla base delle nostre malefatte. Perché scriviamo (o diciamo) certe cose? C'è un motivo per cui persone apparentemente normali dicono *assolutamente sì*, che equivale a *sì* ed è SEI volte più lungo? Come mai *e quant'altro* ha sostituito il vecchio, buon *eccetera*? Stanchi del latino, oppure ci sembrava che l'abbreviazione *ecc., ecc.* indicasse un inizio di raffreddore?

La terza parte è dedicata alla punteggiatura: spia di un disagio, ma anche fonte di soddisfazione (se impariamo a usarla). Spesso mi domando: cosa accade nella testa di chi usa i puntini di sospensione ogni tre parole? Forse... è... come dire... insicuro? Perché qualcuno chiude ogni frase con un punto esclamativo, così che i suoi periodi sembrano piste da bowling? Il punto esclamativo è, quindi, inutile? Ma no! Deve però arrivare una volta al mese, come lo stipendio.

Nell'ultima parte – di tutte, la più robusta – ci dedicheremo alla riabilitazione. Sedici semplici suggerimenti: metà appresi da Indro Montanelli, metà ispirati a Ennio Flaiano. I due erano ironici poliziotti della lingua, tra i migliori in circolazione. Entrambi avevano capito che scrivere è scolpire: occorre soprattutto togliere, con un obiettivo in mente e un po' d'ironia nelle dita.

Bene, questo è tutto. Allacciate il giubbotto antiproiettile, e andiamo a incominciare.

Prima parte

FATTISPECIE DI REATO

> Un cattivo scrittore è chi si esprime tenendo conto di un contesto interiore che il lettore non può conoscere. Per questa via l'autore mediocre è portato a dire tutto quello che gli piace. La grande regola sta invece nel dimenticarsi in parte, a favore di un'espressione comunicabile. Questo non può avvenire senza sacrifici.
>
> Albert Camus

Il Decalogo Diabolico

I
Usate dieci parole quando tre bastano.

II
Usate parole lunghe invece di parole brevi,
sigle incomprensibili e termini specialistici.

III
Considerate la punteggiatura una forma di acne:
se non c'è, meglio.

IV
Fate sentire in inferiorità il lettore:
bombardatelo di citazioni.

V
Nauseatelo con metafore stantie.

VI
Costringetelo all'apnea: nascondete la reggente
dietro una siepe di subordinate, e cambiate il soggetto
per dispetto.

VII
Infilate due o più *che* in una frase.

VIII
Non scrivete *Il discorso era noioso, e i relatori aspettavano
l'intervallo* ma *Lo speech era low-quality e il panel s'era messo
in hold per il coffee-break.*

IX
Usate espressioni come *in riferimento alla Sua del...*;
il latore della presente; *in attesa di favorevole riscontro.*

X
Siate noiosi.

Seguite queste regole e cadrete così in basso che, a quel
punto, potete solo risalire. Come? Calma, ci arriviamo.

Misfatti di moda

Perché in Parlamento s'ascoltano discorsi che sembrano uscire dalla bocca di un poeta del 1907 sotto l'effetto dell'oppio?

Per quale motivo la televisione parla di *probabili precipitazioni atmosferiche* invece di dire *forse piove*?

Perché esiste gente che dice *dobbiamo shiftare l'attenzione verso un target diverso*, e poi presenta la moglie come *la mia signora*?

Dietro la lingua non ci sono solo le tonsille, come pensano gli studenti di anatomia e gli ingenui. Ci sono i mutamenti, le passioni e le perversioni che rendono una nazione diversa da un'altra. Lamentarsene non ha senso. Meglio ragionarci sopra. Alcune formule moderne sono utili e dureranno nel tempo; altre sono irritanti e passeggere. Per esempio: *attitudine* non vorrà mai dire *atteggiamento*, anche se oggi è di moda confondere i due vocaboli (colpa dell'inglese *attitude*, atteggiamento).

La lingua cattiva è poco efficace, come dicevamo, e spesso fraudolenta. Chi difende il buon italiano non difende la pedanteria, né rifiuta le innovazioni: difende invece il buon senso, e accetta le novità. *Palloso*, per esempio, è un neologismo fascinoso, utile per descrivere i discorsi di chi non sa parlare e i testi di chi non sa scrivere.

Difendere qualsiasi regola, d'altro canto, è inutile: la lingua cambia, che lo vogliamo o no. Lo sa bene l'Accademia della Crusca, che è più anticonformista di quanto possiate immaginare (visitate www.accademiadellacrusca.it). Ha però un handicap: quel nome agreste. Quattro quinti degli italiani non hanno mai visto il frumento, figuriamoci se riconoscono la crusca.

La soluzione, quindi, è doppia: tolleranza vigile e intolleranza morbida. Scrive Richard Jenkyns, professore (non palloso) di Classical Tradition all'Università di Oxford: «In materia linguistica, la regola è semplice: resistere finché si può, ma quando la battaglia è perduta, arrendersi».

Mi sembra l'attitudine giusta. Scusate, l'atteggiamento.

***

Le parti del discorso sono nove. Cinque sono variabili:

    I   articolo (*il, lo, la, gli, un* ecc.)
    II nome/sostantivo (*libro, volume, corso, studio* ecc.)
  III aggettivo (*italiano, divertente, utile* ecc.)
  IV pronome (*io, voi, noi, ciascuno, tutti* ecc.)
   V verbo (*leggere, capire, imparare* ecc.)

Le altre quattro sono invariabili:

  VI   avverbio (*bene, male, velocemente, certo!* ecc.)
  VII preposizione (*di, da, con, per, in* ecc.)
 VIII congiunzione (*e, o, se, quanto, quando* ecc.)
  IX   interiezione (*eh, be', ahimè, uffa!* ecc.)

I misfatti di moda toccano ognuno di questi campi.

Non potendo elencare tutte le insidie – lo scopo di queste *Lezioni semiserie* è la riabilitazione, e vogliamo arrivarci in fretta – ci limiteremo a indicare le principali malefatte. Non dovete sentirvi in colpa, se vi provocano istinti bellicosi. La legittima difesa linguistica è consentita.

ARTICOLI ARTIFICIOSI

L'UMBERTO E LA MELANDRI Per antica abitudine, i lombardi del Nord usano l'articolo determinativo davanti ai nomi: *l'Umberto e lo Stefano vogliono farsi la Valentina*. La cosa non mi entusiasma, pur non conoscendo Valentina. Molti italiani di ogni regione mettono l'articolo anche davanti ai cognomi femminili: Walter Veltroni è *Veltroni*, ma Giovanna Melandri è *la Melandri*. Ciò è irritante. Ancora più irritanti sono quelli che s'arrabbiano per queste cose.

PNEUMATICI ANTIPATICI Si dovrebbe scrivere *gli pneumatici*, come si scrive *gli pseudonimi, gli gnocchi, gli zii, gli scarponi* (com'è noto, *pn, ps, gn, z* e *s* «impura» – cioè seguita da consonante – richiedono gli articoli *lo, uno* e *gli* al plurale). Ma suona pedante. Scrivete pure *i pneumatici*. Si pronuncia meglio ed è più familiare.

SOSTANTIVI POCO SOSTANZIOSI

APPOSITA COMMISSIONE È un esempio, tra i tanti, di allungamento tautologico (quindi, inutile). Altri esempi:

– *attività di formazione* (*formazione* basta e avanza)

- *dibattito a più voci* (un dibattito a una voce è un soliloquio)
- *fenomeno temporalesco* (*temporale* è sufficiente)
- *impressione personale* (se non è personale, non è un'impressione)
- *leggi vigenti* (se non sono in vigore, che leggi sono?)
- *sincera verità* (una verità non sincera è una bugia)

BANCO DI PROVA E STRAPPO Gli artigiani hanno ceduto alcune espressioni alla politica (ricevuta o contanti?). Il *banco di prova* non serve per collaudare un meccanismo; ora viene usato per litigare sulle pensioni. Un tempo i sarti ricucivano gli *strappi*; ora ci pensano Gianni Letta e Ricky Levi.

CONTESTO Trentacinque anni fa *contesto* era una prima persona singolare, indicativo presente (voce del verbo *contestare*. Ovvero: fare un po' di casino a scuola). Oggi *contesto* è un sostantivo. Poco sostanzioso, devo dire.

DISPONIBILITÀ *Vorrei verificare la disponibilità* vuol dire *C'è posto?* Allora perché – chiamando il ristorante, l'agenzia di viaggi, la palestra – non dire *C'è posto?* Risposta: perché i sostantivi lunghi, astratti e accentati sembrano eleganti; e hanno quel tanto di indeterminato che piace agli italiani (non si sa mai). *Disponibilità, fattibilità, abitabilità*: l'unico commento serio è «Ma va là!».

NEL SUO VISSUTO *Nella sua vita* non va bene?

PERCORSO DI VITA Peggio ancora! Cos'è questo jogging esistenziale?

SUL TERRITORIO Fino a qualche tempo fa *territorio* era un vocabolo specialistico: roba da geografi, etologi, sionisti e pellerossa («Via i visi pallidi dal nostro territorio!»). Oggi lo usano tutti: giornalisti, assessori, associazioni di volontariato. Spesso *sul territorio* vuol dire «tra la gente», altre volte «nella zona», altre ancora «nella realtà». Solo un'espressione è più irritante: *nella società civile.* Perché, in Italia esiste una società incivile? Be', forse sì.

AGGETTIVI CORROSIVI

Quando sento dire *mitico,* smetto d'essere mite. Da anni l'appellativo serve a descrivere cantanti bolliti, calciatori in pensione, rottami culturali, ex bellone rifatte, smutandate alla quinta apparizione televisiva. C'è addirittura qualche incosciente che risponde così al cellulare. Legge il nome sullo schermo e ti aggredisce con «Mitico!». Tu pensi: ha già bevuto di prima mattina, o mi sta prendendo in giro?

Niente di tutto questo: è solo pigro. Trovare un'espressione originale costa fatica, e non tutti vogliono farla. Qualcuno sta pensando: ma c'è gente che dice *eccezionale, fantastico, favoloso, fenomenale, ganzo, grande, grandioso, magico, mostruoso, ottimo, splendido, stupendo!* Non importa: *mitico* è peggio. Solo *straordinario* – lo vedremo – è più grave. *Divino* è altrettanto irritante, ma sta passando di moda (lo usa solo qualche signora chiusa nella villa di campagna da troppi anni). *Mitico* invece è ancora infettivo. Unico antibiotico conosciuto: il ridicolo. Lui dice: «Mitico!». Tu digli: «Taci, mefitico». Ci rimarrà male, ovvio. Ma bisogna punirne uno, per educarne cento.

PRONOMI PROVOCATORI

Parleremo più avanti della «maiuscolite» (una dermatite testuale che si manifesta con un'esplosione di lettere maiuscole). Per ora limitiamoci a condannare quest'uso servile del pronome.

Caro Dottor Severgnini,
segnaliamo alla Sua cortese attenzione un'iniziativa dell'AVIP (Associazione Veline Invecchiate Precocemente). Come Lei sa, ci occupiamo del recupero di vittime della società dello spettacolo. Se Ella vorrà dedicarci due ore del Suo prezioso tempo, Le proponiamo una conferenza sul tema «Il botulino morde?». Sarà per noi un vero piacere averLa nostro ospite. In attesa di un Suo riscontro, Le rivolgiamo i sensi della più profonda stima.

C'è però un caso in cui dobbiamo tollerare la maiuscola servile: quando aiuta a evitare confusione. Immaginiamo di ricevere questo messaggio:

Gentile Signor Candidi, il 4 dicembre aspettiamo Scarlett Johansson presso il nostro Lions Club a Genivolta (CR). Se lei accogliesse l'invito, ne saremmo felici. Sarà con noi quella sera?

Un dubbio: chi è *lei*? Miss Johansson, oppure il destinatario del messaggio?

Gentile Signor Polli, il 4 dicembre aspettiamo Scarlett Johansson presso il nostro Lions Club a Genivolta (CR). Se Lei accogliesse l'invito, ne saremmo felici. Sarà con noi quella sera?

In questo caso è chiaro: il pronome *Lei*, maiuscolo, è una forma di cortesia, e si riferisce al destinatario del messaggio. Se il signor Polli è certo che la bionda Scarlett si presenterà a Genivolta, vada. E si ricordi di tenermi un posto.

BABY, TI CONTATTO (CON TATTO) I verbi derivati dai sostantivi (*contattare, approcciare, confrontarsi, messaggiare, testare*) mi stanno cordialmente antipatici, e mi sono battuto per tenerli a distanza. Ammetto: ho perso. *La contatto* è più efficace di *Mi metto in contatto con lei* (anche perché ricorre al caso diretto ed evita la preposizione).

INTERFACCIARE Non significa assumere l'espressione estatica di un interista dopo il 15° scudetto. *Interfacciare* vuol dire *opporre, paragonare, mettere di fronte*. Verbi buoni e modesti, costretti a un prematuro pensionamento.

TRA IL DIRE E IL FARE C'È DI MEZZO UN MARE (DI VOCABOLI) *Dire* e *fare* sono verbi stanchi: lavorano troppo, e da troppo tempo. Perfino il mansueto Cesare Marchi, nel suo libro *Impariamo l'italiano* (1984), sembra non sopportarli. Giustamente scrive: «Preferite lo specifico al generico». E invita a cercare sostituti: ce ne sono.

Un esempio? Nella casa del *Grande Fratello*, un ipotetico Mirko potrebbe mandare questo biglietto a un'improbabile Masha:

Dirò la mia opinione, dopo che ti ho detto la notizia. Il motivo che dice la tua amica è sbagliato. Ti dico che Christian torna da te. Anzi, ti dico un segreto, se mi dici tutta la storia...

Altrove, sarebbe meglio scrivere:

Esprimerò la mia opinione dopo che ti avrò riferito la notizia. Il motivo addotto dalla tua amica è sbagliato. Ti assi-

curo che Christian torna da te. Anzi, ti rivelo un segreto, se mi racconti tutta la storia...

A quel punto, delle due l'una: Masha s'arrabbia o s'innamora. Di sicuro, Mirko verrà «nominato» ed espulso. Forse non valeva la pena.

AVVERBI VELENOSI

IN QUALCHE MODO Quando sento queste tre parole, mi vien voglia di chiedere: «In quale modo?». Ma sarebbe fatica sprecata. Gli Inqualchemodisti amano essere generici, e non risponderanno mai.

IN TEMPO REALE Cos'è il «tempo reale»? Esiste un tempo irreale? Un tempo repubblicano? *In tempo reale* vuol dire *subito* o *contemporaneamente*. Usiamo queste espressioni, sono meno ridicole.

POSSIBILMENTE evitate gli avverbi in *-mente*. Derivano dall'ablativo singolare del sostantivo latino *mens, mentis* – quindi: *con la mente, con l'intenzione* – e sono inflazionati. Quasi sempre hanno dei sostituti, più corti e altrettanto efficaci: utilizziamoli. Qualche esempio: *conseguentemente* = quindi; *estremamente* = molto; *indubbiamente* = senza dubbio; *lateralmente* = di fianco; *precedentemente* = prima. Eccetera.

PRESUNTUOSE PREPOSIZIONI

COGLI, COLLE, DALLE E SUGLI Le nove preposizioni semplici (*a, di, da, in, con, su, per, tra, fra*) sono simpatiche e utili: se collegano sostantivi creano complementi indiretti; se uniscono frasi, determinano proposizioni subordinate. Le prime sei si uniscono all'articolo determinativo, creando le preposizioni articolate: e qui cominciano i problemi. *Con* è la più insidiosa. *Colla fidanzata* non è una ragazza particolarmente appiccicosa. *Collo zaino* non è una borsa che si porta sulla nuca. *Cogli onesti* suona male (considerata la reputazione degli onesti in Italia).

CONGIUNZIONI CONGESTIONANTI

PIUTTOSTO CHE Mostriciattolo assai popolare: oggi – chissà perché – sostituisce *oppure*. Se una fanciulla dice «Vado al cinema piuttosto che in discoteca», vuol dire che non ha preferenze: il fidanzato verrà trascinato a vedere un film oppure a ballare (basta che non apra bocca).

NEL SENSO CHE Domanda: perché diciamo *nel senso che...*? Risposta: perché non sappiamo spiegarci la prima volta, e dobbiamo ripetere il concetto; oppure ci siamo spiegati, ma l'interlocutore era distratto. Un tempo, nelle stesse situazioni, molti dicevano *Voglio dire...* Sì, è così. I Nelsensocheisti di oggi sono i Vogliodiristi di ieri; entrambi avanzano una goffa richiesta d'aiuto. Un esempio? Lei dice, con l'occhio lucido e fintamente colpevole: «Ti voglio lasciare, *nel senso che* preferisco star sola...». Lui, invece di festeggiare lo scampato pericolo, chiede spiegazioni. Voi penserete: «Cavolo, te l'ha detto due volte in nove parole: ti vuole m-o-l-l-a-r-e!». Niente da fare: lui vuole parlarne. E più la conversazione perde di senso, più volano i *nel senso che...* («Nel senso che vuoi lasciarmi?» «Nel senso che ho bisogno di riflessione.» «Nel senso che hai un altro?» «Nel senso che non sono affari tuoi»).

Pochi sanno cosa sono le interiezioni. C'è chi pensa a un trattamento odontoiatrico, chi a una manovra politica. Nessuno dice più *ohibò!* o *ahimè*. Certo, tutti dicono *eh...* e *ah!*, ma pochi mettono i propri sospiri per iscritto. I fumetti hanno portato qualche novità: *bang!* e *gulp!* sono espressioni efficaci, e vi invito a usarle (Manzoni l'avrebbe fatto: *Sigh!* sarebbe stata una grande chiusa per l'«addio ai monti»). *Gasp!*, come ho scritto a suo tempo sul «Corriere», era il solo giudizio possibile sulla Legge Gasparri (unico caso di commento più breve del titolo del provvedimento legislativo).

Quali, allora, le interiezioni irritanti? Eccone tre.

BÈ? BUUH! *Be'* è la forma tronca di *bene*: quindi, si scrive con l'apostrofo. Scrivere *bè, bè, bè...* è conformista. Cos'è quel belato? Perché volete seguire il gregge?

DI TUTTO E DI PIÙ Al supermercato cos'hai comprato? Ma di tutto e di più! Andata bene la cena con gli amici? Guarda, abbiamo mangiato di tutto e di più. Non si tratta propriamente di un'interiezione – sui manuali di grammatica non la troverete – ma l'espressione *di tutto e di più* è così vuota di significato da rientrare nella categoria. Perché? Boh!

IN CHE SENSO? Più che un'interiezione, un modo di prender tempo. La moglie trova sul comodino una ricevuta di duecento euro, emessa dal night-club *Guapa y Caliente*, e domanda al marito: «Questa cos'è?». Lui, che ha capito benissimo ma vuol guadagnare qualche secondo di vita spensierata, risponde: «In che senso?».

SADOQUIZ

Per capire quant'è ridicolo l'abuso dell'aggettivo *mitico*, è bene sapere quant'è importante il mito. Ha segnato la nostra cultura, formato il nostro modo di pensare, condizionato la nostra lingua. Leggete questo microracconto. Solo UNO dei vocaboli in neretto NON ha un'origine mitologica. Trovatelo.
(Le soluzioni di tutti i Sadoquiz e i Masotest sono in fondo al libro.)

Disco «**Diana**», **martedì** sera. Niente voli pindarici: occorreva essere concreti. Il ragazzo era un po' **narciso**, ma sapeva di non essere un **adone**. La ragazza era seria e robusta, quasi **giunonica**: eppure non sembrava un'**arpia**. Lui s'avvicinò con calma **olimpica**, e le sorrise. Lei, immobile come una statua in un **museo**, lo guardò sospettosa, neanche fosse portatore di una malattia **venerea**. Lui sentì la faccia come un **vulcano**. Prese i **minerva**, accese una sigaretta. Non gli **giovò**. Lei disse: «Odio il fumo, scemo». E lo piantò in **asso**.

Provocazioni e legittima difesa

Alcune espressioni sono così irritanti che non possiamo classificarle tra i misfatti di moda. Passano nella categoria superiore, quella delle provocazioni. Sul podio delle mie idiosincrasie linguistiche metto:

- un avverbio (*assolutamente*)
- un aggettivo (*straordinario*)
- un sostantivo (*problema*)

Già che ci sono, aggiungo due anglismi (*location* e *mission*). Trattenete il disgusto, e andiamo con ordine.

ASSOLUTAMENTE SÌ? ASSOLUTAMENTE NO!

Assolutamente sì è assolutamente insopportabile. Rivela infatti tre debolezze. La prima è la rassegnazione: lo dicono tutti, lo dico anch'io. La seconda è la piaggeria davanti all'inglese: *assolutamente sì* è infatti figlio di *absolutely*. La terza debolezza è la più inquietante: diciamo *assolutamente sì* perché siamo convinti che *sì* non basti. La più bella, semplice e netta tra le affermazioni italiane – come sanno gli amanti e gli sposi – è affievolita dall'abitudine, minata dalle bugie, segnata dalla disattenzione.

Oggi il *sì* può essere ritrattato, scambiato per un sospiro, confuso col pronome riflessivo (per colpa di quanti lo scrivono senza accento. Anche Montanelli lo faceva, ma a lui concediamo tutto). *Assolutamente sì* diventa una dichiarazione programmatica. Peggio: una dimostrazione di sfiducia nel prossimo, e del prossimo in noi. L'Italia era il «bel paese là dove 'l sì suona» (Dante Alighieri, *Inferno*, canto XXXIII, 80). È diventato lo strano posto dove rimbomba l'*assolutamente sì*. La *Commedia* s'aggiorna, ma non so se ci abbiamo guadagnato.

NON C'È NULLA DI PIÙ ORDINARIO
DI STRAORDINARIO

In uno dei libri più belli, letti e scopiazzati della letteratura americana – *The Catcher in the Rye* di J.D. Salinger, 1951 (in italiano, *Il giovane Holden*) – il protagonista sbotta:

Grand. *If there's one word I hate, it's* grand. *It's so phony.*

Grand. Se c'è una parola che odio, è *grand.* È così fasulla.

Siamo d'accordo: *grand* – come l'equivalente italiano, *grandioso* – è un vocabolo che ha conosciuto una certa popolarità. Come abbiamo visto, è venuto poi il tempo di *eccezionale, fantastico, favoloso, fenomenale, ganzo, grande, magico, mostruoso, ottimo, splendido, stupendo, mitico.* Oggi tocca a *straordinario,* ed è un'epidemia.

Un tempo era soprattutto un sostantivo, e indicava il lavoro fuori orario («Ieri ho fatto gli straordinari»). Adesso l'aggettivo è dappertutto e significa quasi tutto. Un discreto tiro in porta, un discorso efficace, un abito elegante, una manovra insolita: tutto è *straordinario*, nella bocca del commentatore. E il commentatore non sta solo in tivù o alla radio: è nascosto dentro tutti noi.

Scagli il primo aggettivo chi, nelle ultime ore, non ha detto *straordinario* per indicare qualcosa che straordinario non era. Trattasi di inflazione retorica: per dar forza a un concetto, c'è chi alza il volume della voce (fastidioso) e chi esagera coi vocaboli (ridicolo). Una ragazza carina, nelle catacombe di un ufficio, diventa *una bonazza straordinaria*. Un bel viaggetto diventa *una vacanza straordinaria*.

Straordinario non è solo enfatico; è subdolo. Finge infatti di ignorare che, in Italia, l'ordinario è un sogno irrealizzabile (mai visti un traffico ordinario o un governo ordinario?). Salta l'ostacolo, invece d'affrontarlo. Affermare che qualcosa è *straordinario* significa concedergli l'immunità dalla norma, e dalla sua confortevole prevedibilità. Vuol dire accettare che niente, in questo Paese, è quello che dovrebbe essere. Qualche volta è meglio, spesso è peggio, ma sempre è diverso.

Dite un po': siamo o non siamo gente straordinaria?

C'È UN PROBLEMA CON *PROBLEMA*

Strana parola, *problema*. Sta tornando tra gli adolescenti, che la ripetono volentieri (anche in assenza di problemi). Tra i ventenni è meno popolare: loro si fanno le *menate*, così come i trentenni si *stressano* e i quarantenni combinano *casini*. I primi a lanciarsi sul *problema* sono stati gli italiani nati a metà anni Cinquanta: bambini negli anni

Sessanta, svezzati socio-politicamente negli anni Settanta. Lo so perché c'ero. La «generazione problematica» è la mia.

C'è un problema. Qual è il problema? Hai dei problemi. Che problema c'è? Ti fai dei problemi. Nessun problema! I problemi in casa, sul lavoro, dove càpita. Il vocabolo – dal greco *próblēma*, collegato a *probállein*, proporre – è una muffa sottile cresciuta sui nostri discorsi. Per staccarla, dovremmo prima vederla. Non ne siamo capaci.

Il problema, qual è? Il sostantivo è la nostra porta d'ingresso verso il ragionamento, e l'uscita di sicurezza quando questo si rivela faticoso o complicato. Il *problema* è al centro del nostro sistema filosofico. Ecco perché, talvolta, diamo l'impressione d'avere le idee confuse (mi sembra di sentirlo, il coro delle voci bianche: «Non è solo un'impressione. Venga a conoscere mio papà!»).

Una spiegazione la offre il Dizionario Etimologico Cortelazzo/Zolli. «Dalla fine degli anni Cinquanta il significato di *problema* si estese fino a definire una generica "difficoltà", soprattutto nella locuzione *Non c'è problema*, che ricalca il francese *Il n'y a pas de problèmes* e il prototipo inglese *No problem*.» Le esigenze di sincronizzazione nel doppiaggio dei film americani – sostiene un altro linguista – hanno fatto il resto. Il *problema* s'è affermato, e non ha più mollato.

Oggi il vocabolo – finché non verrà sdoganato dai nostri figli – data inesorabilmente il discorso. Se qualcuno dice «Il problema è che...» state certi: conosce Le Orme e i King Crimson (forse anche Emerson Lake & Palmer). Perdonatelo, anzi: perdonateci. *Problema* è un vocabolo bolso, ma innocuo. Intervenite solo quando sentite dire *problematiche*. Chi l'ha pronunciato tiene nell'armadio una sahariana di fustagno del 1973, e prima o poi cederà alla tentazione di tirarla fuori.

La parola più ridicola nel vocabolario nazionale è però un'altra. L'ho scoperta grazie a una lettera da Rivoli, meritevole città piemontese (riassume, nel nome incolpevole, i mille sprechi italiani). Una lettrice detesta il termine *mission*. Ha ragione: non se ne può più. Società, enti, aziende, gruppi e associazioni non dicono più cosa intendono fare. No: annunciano la *mission*. Uno si chiede: cosa vi costa aggiungere una vocale e spiegare la vostra *missione*, in italiano? Niente da fare. *Missione* sembra vecchio e polveroso. *Mission* suona profumato, sexy, futuribile.

La lettrice cita un film di vent'anni fa, *The Mission*, con Robert De Niro che si buttava giù dalle cascate, o qualcosa del genere. L'ossessione sarà nata allora?, si domanda. Mi sento d'escluderlo. Il protagonista di *The Mission* era un missionario, interpretato da un attore americano: ci poteva stare. Ma perché una ditta di bottoni di Bologna deve annunciare «la *mission* aziendale»? Dica invece: «Facciamo bottoni». Non astronavi, non antibiotici: bottoni. Obiettivo degno e socialmente utile. Le astronavi e gli antibiotici hanno molti meriti, ma non tengono chiuse le camicie.

Un altro lettore sostiene che non è stato *The Mission* del 1986, ma *Mission: Impossible* del 1996, con Tom Cruise eroe di turno. L'epidemia, conclude, è partita da lì. Errore. L'unica missione impossibile, oggi, è impedire a tanti esagitati di ripetere: «La *mission* della nostra associazione...». Oltretutto quella doppia *s*, per molti italiani, è impegnativa: penso agli emiliani, ai laziali, ai sardi. *Mission* diventa *miscion* a Modena, *mizzion* a Latina, *misssion* (tre sibilanti *s*) a Sassari. Tutti capiscono, ovvio. Ma qualcuno sorride.

Esiste un modo nonviolento per dissuadere i malintenzionati verbali? Credo di sì. Si potrebbe introdurre un boicottaggio soffice – ho detto *soffice*, non *soft* – così organizzato. Appena un dirigente d'azienda – ho scritto *dirigente d'azienda*, non *manager* – s'avvicina al microfono e dice «La nostra *mission*...» il pubblico aggiunga in coro una *e*. Quando una società per azioni spiega, su internet o sul giornale, qual è «la *mission* della compagnia», basta rispondere: «Quella lasciatela ai gesuiti, che se ne intendono!». E se in quella società non capiscono la battuta, meglio ancora: vuol dire che sono ignoranti. Vendete le azioni, e non sbagliate.

PERICOLOSI *VISION*-ARI

Un'altra brillante e temibile lettrice, consapevole della mia avversione per il vocabolo *mission*, scrive: «Mi duole dirglielo, ma lei dimostra una penosa arretratezza linguistico-culturale. Oggi la *mission* è totalmente *out*! E chi non ce l'ha uno straccio di *mission*? Per una qualsivoglia azienda, un minimo *trendsetter* e *consumer oriented* (nel *business OTO* detto anche *121* – ma questo glielo spiego un'altra volta), oggi è d'obbligo la *VISION*. Vuole sapere cos'è? Semplice. La *vision* è quella roba che subentra quando la *mission* è raggiunta. A occhio sembra uno sguardo sul futuro: invece no. La *vision* è più raffinata e sfuggente. Le faccio un esempio (anonimo, è un collega): "La mia *vision*? Il mondo è fatto di persone!". Non è un errore, è finita qui. Capisce, adesso?».

Risposta: no, che non capisco. La *vision* mi sembra la trovata di un manager con una *mission* in testa e due allucinogeni sotto mano. Se si fermasse lì, potremmo limitarci a disintossicarlo. Il guaio è che il manager in questione deve trovare un posto dove esibire queste turbe. E allora cerca una *location*.

La parola *location* è più inutile di *mission*, più urticante di *vision*. Gli ultimi due concetti hanno infatti un'attenuante: sono astratti. *Location* invece è un'indicazione fisica: vuol dire *posizione, luogo, posto.* Se vogliamo essere pignoli, *posto adatto.*

Perché, allora, non dicono così? Perché Milano, prima di ogni fiera, sfilata ed esposizione, è battuta da bande di organizzatori in cerca della *location* per l'evento (e, già che ci sono, di un taxi)? Quando li vedo – mascelle serrate, occhi febbrili – penso che nessuno può star tranquillo. Neppure la Madonnina sul Duomo: prima o poi qualcuno s'accorgerà che quella è una *location* della Madonna, e comincerà a scalare le guglie come il Gobbo di Notre-Dame.

Ripeto, bisogna difendersi. Ma non è facile, perché l'igiene verbale dovrebbe iniziare da cari colleghi e stretti congiunti. Se papà torna a casa gridando «Evviva! Abbiamo trovato la *location* per la *convention*!», che si fa? Lo si schiaffeggia? Lo si chiude in bagno per punizione? No, si sopporta. Sapendo che in futuro andrà peggio. Prima o poi un'agenzia immobiliare, convinta che il vocabolo *locazione* sia fuori moda, proporrà «la *location* della *location*». A quel punto non resterà che l'asilo politico. Magari a Gaza, dove sparano per molto meno.

Abbinate a ognuna di queste espressioni inglesi la relativa definizione.

1) Back office = C
2) Benchmark =
3) Brand awareness =
4) Business plan =
5) Brainstorming =
6) Claim =
7) Competitor =
8) Consumer =
9) Customizzazione =
10) Delivery =
11) First mover =
12) Full immersion =
13) Know-how =
14) Human Resources =
15) Meeting =
16) Outsourcing =
17) Players =
18) Policy =
19) Stage =
20) Start-up =
21) Trend =

A) Riunione dalla quale persone con idee vaghe escono con idee confuse
B) Tutti quelli che hanno avuto la mia stessa idea, e non vogliono togliersi dai piedi
✓C) Chi fatica dietro le quinte
D) Questo è quello che vogliamo fare, più o meno
E) Quell'impiastro del mio concorrente

F) Studio intenso, caro e disperatissimo di qualcosa che si sarebbe dovuto imparare tempo fa

G) Finalmente abbiamo trovato il modo di non pagare tutti quei contributi

H) Parametro bocconiano

I) Se non sanno chi siamo, è un guaio

L) Personale impersonale

M) Consegna a gente con soldi da buttar via

N) Personalizzazione a caro prezzo

O) Tirocinio gratuito, utile ai giovani lavoratori e indispensabile alle aziende

P) Insieme di conoscenze necessarie a dare l'impressione che sappiamo cosa fare dopo la pausa pranzo

Q) Piccola impresa con molte speranze, pochi soldi e nessuna esperienza

R) Questo è più o meno ciò che vogliamo fare/dire/vendere

S) Riunione di lavoro (sovente inutile). Incontro (purtroppo inevitabile). Convegno (principalmente cattolico)

T) Consumatore ipnotizzato

U) Il più sveglio di tutti

V) Consuetudine aziendale, troppo imbarazzante/irragionevole/illegale per essere messa per iscritto

Z) La tendenza di chi tende a dimenticare l'italiano

Microcriminalità

PERICOLOSI DIMINUTIVI

Ho deciso: fonderò il CIAD, Comitato Italiano Anti Diminutivi. Ogni volta che una parola finisce in *-ino* o *-ina* comincio infatti a preoccuparmi. E, di solito, scopro che ne avevo motivo.

Qualche animo sensibile, anni fa, ha messo in guardia contro la moda nascente, segnalando l'insidioso *attimino*, che precedeva attese insensate. Oggi il fenomeno s'è allargato e diffuso. Pensate alla *manovrina* del governo di turno. È un'operazione da molti miliardi di euro, mica due spiccioli. Se l'avessero chiamata *bottarella* per accumulare un *tesoretto* (vezzeggiativi) sarebbe stato meno grave. È quel diminutivo che offende e preoccupa.

La carica dei diminutivi s'estende ad altri ambiti della nostra vita. Le aziende dolciarie, per rifilarci grassi e zuccheri di cui non abbiamo bisogno, propongono *merendine*. Il collega che vuole manometterci il computer suggerisce di installare un *programmino*. Gli amici che intendono gozzovigliare mentre le mogli sono al mare progettano una *seratina*.

L'oggetto che negli ultimi anni ha cambiato la nostra vita si chiama *telefonino*. Il fidanzato diventa preoccupante quando inizia a proporre dei *giochini*.

Si potrebbe continuare, ma avete capito. Il diminutivo è la versione italiana dell'*understatement*; ma, a differenza dell'originale britannico, nasconde più malizia che ironia. Il diminutivo è una richiesta preventiva di assoluzione, o almeno di attenuanti generiche. Ma è un concetto pericoloso. Non per niente, permette di trasformare il caso in un casino.

SUBDOLI ACCRESCITIVI

Anche gli accrescitivi rappresentano una piaga della lingua, ma sono una piaga multicolore, quasi allegra. Quando un vocabolo finisce in -*one* dobbiamo, sì, prestare attenzione. Ma non è detto che finiamo a testa in giù in un burrone.

Partiamo dall'alimentazione. Il *bibitone* è sospetto: di solito è un intruglio e non si sa cosa ci sia dentro (ormai neppure i ciclisti lo buttan giù senza farsi domande). Mentre il pannolino è simpatico, il *pannolone* è malinconico (chiedere agli utenti: si divertono solo nella pubblicità). Il *bambinone* è, sostanzialmente, un adulto cretino (così come il *ragazzone* è un adolescente non particolarmente sveglio). Non a caso, una mente pronta si dice «una bella testa»: non un *testone*.

Il *regalone* è un dono di cui non si sentiva alcun bisogno, ma abbiamo dovuto accettare per le insistenze del donatore. Lo *scooterone* piace a chi non sa andare in motocicletta e il *macchinone* è un'auto inutile (troppo grande, troppo potente, troppo cara). Il *portellone*, però, è stato una grande invenzione. Il baule non era altrettanto sexy, e non serviva per portare a spasso il cane.

Avanti? D'accordo. Il *professorone* è un professionista molto caro, oppure un po' arrogante (in qualche caso, entrambe le cose). Lo *squadrone* è una squadra che perderà la prossima partita (a quel punto sarà una squadretta, poi vincerà di nuovo e diventerà una squadra). Il *borsone* è una valigia che cerchiamo di spacciare per bagaglio a mano. Il *librone* è un volume che nessuno leggerà (si può anche acquistare, se l'autore è di moda: ma questo è un altro discorso).

Infine, c'è la *televisione.* Come? Dite che non è un accrescitivo? Be', per colpa sua alcuni di noi erano superficiali e sono diventati stupidi. Non basta?

SALUTI SOSPETTI

I tic linguistici sono come i funghi: la soddisfazione, all'inizio di ogni stagione, è trovarli prima degli altri.

Molti sanno che gli antichi italiani (anni Settanta) dicevano *bestiale, gasato* e *imbranato*; alcuni viziosi avevano introdotto addirittura *nella misura in cui.* Tutti ricordano il neoitaliano dei «banali anni Ottanta», come li chiamava Sebastiano Vassalli, autore di un volume sull'argomento. Non c'erano solo gli effimeri *paninari* che cercavano di *cuccare* col *cazzeggio*; tutti erano *motivati* e *si sbattevano.*

Negli anni Novanta è toccato a *spalmare, inciucio* e *buonismo.* Alcune novità d'inizio secolo le abbiamo appena viste. Cosa s'intravede, adesso, sull'orizzonte linguistico? Ve lo dico subito: *ciao-ciao-ciao.*

Due ragazze progettano la serata. Tre banchieri (o tre alpinisti) studiano la scalata. Quattro colleghi chiudono una riunione. Cinque studenti si salutano dopo un esame. Pochi dicono *a presto!* o *arrivederci!*. Quasi tutti, ormai, chiudono con *ciao-ciao-ciao.*

Pronunciati insieme, i tre vocaboli diventano un neologismo, e una moderna forma di commiato. La moltiplicazione del *ciao* è un sintomo delle nostre vite affrettate –

mai, nella storia, l'umanità era passata da un'attività inutile a un'altra con tanta frenesia – e un modo di superare l'imbarazzo del congedo. *Ciao* è secco. *Ciao ciao* appare – chissà perché – personale. *Ciao-ciao-ciao* è perfetto. Un microscopico discorso che simula rimpianto, e suona come un bambino in una pozzanghera o un vecchio ballo (cha-cha-cha).

Alcuni appassionati hanno già introdotto una variante, cambiando l'ultima vocale. Ascoltate le conversazioni telefoniche – non è difficile, in Italia – e scoprirete il *ciauciau-ciau*: un piccolo ululato sociale, informale e confidenziale.

Questa forma in *u* piace alle donne. Di solito sono giovani e semigiovani, informate, disinvolte e un po' snob: annusano le nuove tendenze come il setter sente l'odore della lepre, e si lanciano all'inseguimento.

Una giovane brillante collega, per esempio, ama «ciauciauciauare» il mondo, e s'aspetta che il mondo risponda a tono. *Ciauciauciau!* biascica al direttore del giornale, lasciando intendere un'orgogliosa indipendenza. *Ciauciauciau...* sussurra agli amanti, rammentando un'insufficiente intimità. *Ciauciauciau* dice al termine della telefonata, ricordandomi un'antica familiarità. *Ciauciauciau?*, vorrei chiederle: ma non ho il coraggio. Così resto col telefonino in mano, pensando che queste donne sono proprio brave, e andranno lontano.

MASOTEST

Ecco un elenco di saluti moderni e una lista di ruoli e/o atteggiamenti. Abbinate il saluto con il ruolo/l'atteggiamento. Alla fine del libro potete controllare se le vostre fissazioni somigliano alle mie.

1) Salve! Come va?
2) Cosa fai di bello nella vita?
3) Come te la passi?
4) A buon rendere!
5) Quel che conta è il pensiero.
6) Tante belle cose!
7) Fate come a casa vostra.
8) Non formalizziamoci.
9) Buongiorno, bellissima!
10) È un onore incontrarla...

A) Scroccone
B) Suocera preoccupata per il parquet
C) Uomo d'affari all'inizio di una formale colazione di lavoro
D) Salumiere ilare, deciso a comportarsi come i colleghi nelle pubblicità TV
E) Vigliaccone che non sa se darti del lei o del tu
F) Attaccabottoni professionale
G) Collega incontrato in mensa, che non può fare a meno di parlarti
H) Rimorchiatore da spiaggia
I) Questuante, fornitore, cliente, corteggiatore
L) Sposi che non hanno gradito il regalo di nozze riciclato

Seconda parte

PSICOPATOLOGIA DELLA LINGUA QUOTIDIANA

Coloro che combinano discorsi difficili, oscuri, confusi e ambigui sicuramente non sanno affatto ciò che vogliono dire, ma hanno soltanto un'oscura consapevolezza che ancora si sforza di trovare un pensiero. Spesso però essi vogliono celare a se stessi e agli altri che in realtà non hanno nulla da dire.

Arthur Schopenhauer

Movente politico

UNA FORMA DI CORRUZIONE?

In un Paese che non si vergogna più dei propri difetti, anzi li sfoggia come fossero medaglie, s'è diffusa anche quest'idea: la classe politica rappresenta perfettamente la nazione. Non credo sia così. Forse chi arriva in Parlamento non è migliore, o peggiore, del resto di noi. Ma di sicuro cambia. Per cominciare, parla e scrive in modo diverso.

Ricordo le dichiarazioni di voto sul finanziamento della missione in Iraq, in Senato. Erano ipnotiche: non per le cose che si sono ascoltate – prevedibili, tutto sommato – ma per il linguaggio utilizzato. Noi italiani ci abbiamo fatto l'abitudine, ma uno studente straniero che ascoltasse gli interventi dei nostri parlamentari penserebbe d'aver sbagliato secolo.

Ho sentito, nell'ordine, i senatori D'Onofrio, Bordon, Nania, Schifani; ma, sono certo, avrebbero potuto essere altri trecento colleghi. Sapendo già cos'avrebbero detto, ho cercato di concentrarmi sul modo in cui lo dicevano.

Mai *dove*: sempre *ove*. Un articolo di legge non *stabilisce*: *delibera*. E poi: *ci si consenta qualche parola, quegli eventi passati attraverso la verifica sul campo, ci sono stati dei plausi da parte dello scenario mondiale, una domanda è risuonata in questi giorni.*

«Una domanda è risuonata in questi giorni»? Entrate in ufficio e annunciate: «Una domanda è risuonata in questi giorni!». I colleghi alzeranno gli occhi dalla tastiera e diranno: «Basta vodka a colazione, ragazzo». La politica, invece, può parlare così. Tutti lo considerano normale. Gli oratori e – quel che è peggio – noi ascoltatori.

Non c'è solo il vocabolario aulico e la sintassi ardita. C'è la cadenza enfatica da discorso pubblico, che ricorda quella dei vecchi comizi e delle inaugurazioni. Possiamo chiamarla Pubblica Retorica Italiana, o Pri (lo stato catatonico del partito repubblicano ha, di fatto, liberato l'acronimo). L'avvertiamo se qualcuno ce la fa notare; se no passa, come un profumo di cucina in un androne.

Qualcuno dirà: che importa, sono solo parole! Importa invece, perché le parole consentono alla nostra classe politica di riprodursi per partenogenesi come gli imenotteri, e di nascondere quello che realmente vuol dire/fare. Nelle altre democrazie occidentali – vi assicuro – non parlano così. L'inglese del Congresso non è molto diverso dall'inglese di Coney Island; quello di Westminster somiglia a quello delle West Midlands. Populismo? Forse. Ma almeno passa attraverso una lingua popolare.

«Lo stile è un composto di linguaggio, pensiero e personalità. Certi stili sono fatti soltanto di lingua», scriveva Lin Yutang, un cinese occidentalizzato, autore di successo negli anni Quaranta. Accettare che la politica utilizzi una lingua vuota è sbagliato, perché segnala la nostra arrendevolezza (rassegnazione, dice qualcuno). Vuol dire tollerare, ogni sera, la sfilata di «testoline dichiaranti» nei telegiornali; e il falso sillogismo dei partiti («Occupiamo la televi-

sione perché rappresentiamo tutte le anime del Paese»).
Nel 2006 sono usciti i risultati di una ricerca voluta dalla
Commissione di Vigilanza: nei tg Rai, il 62% dello spazio
è riservato alle dichiarazioni dei politici. Si esprimessero
bene, almeno! Sarebbe altrettanto umiliante, ma meno fastidioso.

L'ITALIANO PARALLELO

Sia chiaro, anche noi abbiamo le nostre colpe. Esiste infatti l'Italiano Parallelo: quello che molti scrivono, ma
nessuno parla. La faccia diventa *volto*, la pancia *ventre*, la
testa *capo*, i piedi *estremità*, la macchina *autoveicolo*, le
piogge *precipitazioni*. Direste a vostro figlio «Prendi l'om-
brello, Luca, che è in arrivo una precipitazione»? Ovviamente, no. Il ragazzo domanderebbe: «Mamma, stai
bene?».

Nell'Italiano Parallelo nessuno va, tutti *si recano*. In cielo
non ci sono uccelli, ma *vi sono volatili*. I capi non sgri-
dano, *redarguiscono*. Le ragazze non vengono avanti, *ince-
dono*; non si fermano, *s'arrestano*; non se ne vanno, *prendono commiato* (e se parlate in quel modo – diciamolo –
fanno bene).

Il terreno più fertile per l'Italiano Parallelo è la corrispondenza formale o di lavoro (posta o email, fa lo stesso).
Nelle lettere brillano attributi banali: i professori sono
chiarissimi, i signori *egregi*, le signore *gentili*. Seguono gli
aggettivi obbligatori: le condoglianze sono sempre *sentite*,
gli auguri comunque *sinceri*, i saluti immancabilmente
cordiali. O *distinti*, che è peggio.

Voglia gradire i miei più distinti saluti. E chi li distingue,
i vostri saluti, se li presentate nella forma più blanda e
prevedibile che esista? E poi perché *gradire*? Perché uno
deve *gradire i sensi della mia stima*? I sensi sono sensuali:

ma qui fanno senso. Scrive un lettore: «*Con sincera stima?* La stima non può che essere sincera. È assurdo sottoli-nearne la verità, dandosi del possibile bugiardo da soli».

È difficile capire perché scegliamo l'Italiano Parallelo. Timidezza? Tracce di antico servilismo? Conformismo? O pigrizia? Potrebbe essere. Non abbiamo voglia di pensare a un commiato originale, e *porgiamo distinti saluti.* Eppure esiste, la possibilità di salutare in maniera efficace. Non c'è bisogno di fingersi originali, basta essere semplici e spontanei. Come chiudere un'email? Vediamo. *Ciao, a presto* (al vecchio amico, alla nuova fidanzata). *Molti saluti, e a risentirci* (al cliente, al fornitore). *Grazie della compagnia, alla prossima* (dopo un incontro simpatico).

Cosa che ora scrivo anch'io, *gentili* lettori (ma voi lo siete davvero, visto che mi sopportate da cinquanta pagine).

MASOTEST

Traducete in buon italiano poliziesco questo goffo tentativo di intrusione informatica. Molti utenti di posta elettronica hanno ricevuto questo messaggio nel maggio 2007.

Avviso

Sono capitano della polizia Prisco Mazzi. I rusultati dell'ultima verifica hanno rivelato che dal Suo computer sono stati visitati i siti che trasgrediscono i diritti d'autore e sono stati scaricati i file pirati nel formato mp3. Quindi Lei e un complice del reato e puo avere la responsabilita amministrativa.

Il suo numero nel nostro registro e 00098361420.

Non si puo essere errore, abbiamo confrontato l'ora dell.entrata al sito nel registro del server e l'ora del Suo collegamento al Suo provider. Come e l'unico fatto, puo sottrarsi alla punizione se si impegna a non visitare piu i siti illegali e non trasgredire i diritti d'autore.

Per questo per favore conservate l'archivio (**avviso_98361420.zip parola d'accesso: 1605**) allegato alla lettera al Suo computer, desarchiviatelo in una cartella e leggete l'accordo che si trova dentro.

La vostra parola d'accesso personale per l'archivio: 1605

E obbligatorio.

Grazie per la collaborazione.

Violenza privata

LESSICO FAMILIARE

Un tempo la borghesia italiana si dava un tono col francese: si cominciava col *frigidaire* e si finiva col *savoir faire*. Poi s'è data all'inglese, con le conseguenze che vedremo. Qualcuno, per fortuna, commenta ancora gli affari del mondo in dialetto, risultando ben più efficace. In cremasco, per esempio, quello che sta accadendo in Medio Oriente (e nella politica italiana) si dice *rebelòt*. Molti, infine, hanno creato un lessico familiare, utile in casa propria ma incomprensibile oltre le mura domestiche.

Le elaborazioni sono di tre tipi: scambi di significato, ripescaggi e nuove parole. Per pigrizia o per divertimento, in certe famiglie chiamano *cavatappi* l'apriscatole e *apriscatole* il cavatappi. Risultato: l'ospite ignaro vuole aprire una bottiglia di vino, e gli consegnano un arnese adatto per un barattolo di fagioli. La fantasia lessicale si scatena anche in bagno: c'è chi chiama *lavello* il lavabo e chi, indicando la tazza, dice *boccia*. Il termine *puliscino* s'adatta a molti strumenti, e genera pericolose confusioni. Il *telefono nella doccia* può voler dire due cose: l'aggeggio che permette di farsi la doccia nella vasca da bagno, schizzando tutto intorno; oppure un cellulare dimenticato nel posto sbagliato.

Secondo tipo di elaborazione: il ripescaggio nostalgico. Ci sono famiglie in cui i genitori continuano a ripetere le parole della gioventù, e le trasferiscono ai figli. Le mamme quarantenni, per esempio, dicono spesso *mostruoso* e – tenetevi forti – *megagalattico* (entrambi i termini vengono da *Fantozzi*, un film del 1975 che ha segnato il loro passaggio dall'infanzia all'adolescenza). I padri cinquantenni possono buttar via la carta d'identità: basta che dicano *pomiciare* e si sa quando sono nati.

Alcuni neologismi sono invece necessari: molti oggetti quotidiani non hanno un nome, o ne hanno uno troppo lungo e/o brutto. Conosco famiglie che dicono *schiaccino* invece di telecomando, *carichino* e non caricabatterie, *pinzino* invece di graffettatrice, *appendino* e non attaccapanni, *schizzino* al posto di liquido tergicristalli. In casa qualcuno capisce (non sempre); fuori casa si generano interessanti equivoci. Un professionista lombardo ha l'abitudine di chiamare *bucaiolo* l'aggeggio che serve a perforare i fogli. Quando l'ha chiesto in prestito alla segretaria toscana, la ragazza è rimasta turbata.

FRAMMENTI DI UN DISCORSO AMOREVOLE

Molte coppie hanno un problema. Più d'uno, direte voi. D'accordo, ma il problema che c'interessa qui è soltanto linguistico: da non sottovalutare, tuttavia. Come chiamare l'altro/l'altra? Se i due sono sposati, è facile: *marito, moglie* (solo alcuni sadici dicono *la mia signora*; le donne, più furbe, evitano di dire *il mio signore*). Ma se un uomo e una donna stanno insieme fuori dal matrimonio? Che si fa? Durante l'adolescenza la questione si risolve facilmente: *il mio ragazzo, la mia ragazza.* Se però un anziano vedovo presentasse la compagna settantenne dicendo «Ecco la mia ragazza!» sembrerebbe galante (la prima volta), spiritoso (la seconda volta); ma poi fa la figura del macaco.

Chiamarla *compagna,* come abbiamo appena fatto? Non va. La compagna/il compagno è sempre di qualcun altro; se è nostra/nostro suona triste, burocratico e politicamente corretto. *Partner?* Orrendo. Coi partner si fanno gli affari, si gioca a tennis e a bridge: non si va a letto. *Dico potenziale? Pacs-abile?* Agghiaccianti. *Concubina?* Già meglio. Ma il termine – ironico – è inutilizzabile nelle presentazioni («Ingegner Bianchi, le presento la dottoressa Rossi e il suo *concubino*»). *Geisha?* Non è male: ma al maschile è orribile. *Morosa?* Il termine, usato fin dal XIII secolo, sta ovviamente per *amorosa,* ma non è comprensibile in tutte le regioni d'Italia, e rischia di creare equivoci (l'innamorata in Veneto potrebbe essere la debitrice nel Lazio). *Fidanzata?* C'è chi continua a usarlo vita natural durante, ma a ogni età il significato cambia: fidanzata del *teenager* = flirt; fidanzata del ventenne = ragazza; fidanzata del trentenne = promessa sposa (oppure avventura); fidanzata del quarantenne = potrei sposarti, ma non sono sicuro; fidanzata del cinquantenne = ci ho pensato, non ti sposo.

Ho lasciato per ultimo il termine più squallido: *la mia lei.* Quando un uomo si riferisce in questo modo a una donna, con la quale condivide bancomat e dentifricio, andrebbe picchiato con una scarpa (possibilmente, col tacco). Piuttosto che dire *la mia lei* dite *quella lì.* Una scarpa in testa la pigliate comunque, ma almeno salvate la dignità di entrambi.

CONFIDENZE INDEBITE

Scena: aeroporto di Linate, salone delle partenze, quattro del pomeriggio di un giorno d'estate. Sole oltre i vetri, personale filosofico. Un uomo intorno ai trent'anni si avvicina al bar con un gigantesco borsello a tracolla (il particolare avrebbe dovuto insospettirmi). Ordina un cappuccino (altro dettaglio inquietante: il cappuccino dopo le undici del mattino è illegale. Qualcuno lo spieghi agli americani). Il cappuccino non è di suo gradimento. Allora dice al barista cinquantenne: «Ehi, guarda che il cappuccino non si fa così!».

Domanda: perché qualcuno crede di potere/dovere dare del tu a baristi, posteggiatori e commesse? Voi direte: ma è una piccola cosa! D'accordo: ma spesso sono le piccole cose a rivelare i grandi imbecilli. Dare del tu a un adulto sconosciuto, che si trova in posizione di inferiorità, è volgare. Quello o quella non possono restituire la confidenza (né ci tengono). Non possono protestare. Non possono neppure mettersi a recitare questa pagina (possono però appenderla alla cassa: ne sarei orgoglioso). Ogni tanto – sono sicuro – sono tentati d'afferrare con decisione il naso dell'interlocutore e dire: «Ma come ti permetti, brutto puffo?». Ma poi si trattengono.

Che dire? Spero che un giorno cedano alla tentazione, e il datore di lavoro sia comprensivo. Ma questo è tutt'altro che certo. La società che gestisce i bar di Linate e Malpensa (Chef Srl), per esempio, non sarebbe contenta di ritrovarsi in ufficio un passeggero col naso paonazzo che asserisce di essere stato chiamato brutto puffo. Questo è un peccato. Perché certa gente va educata.

Il tu si può usare quando l'interlocutore è molto più giovane (e ha meno di venticinque anni, un numero che segna la linea d'ombra dell'età adulta – sì, anche in Italia). Quando può essere ricambiato. Quando viene esplicitamente proposto. Quando è un modo di manifestare simpatia. Quando esiste un rapporto di colleganza. In questi casi, fa piacere. Quando i giovani colleghi mi incontrano e mi danno del lei, per esempio, pensano d'essere educati. In effetti, quel pronome è un modo di prendere le distanze dai miei capelli metallizzati. Datemi del tu, vi prego. Tra puffi, dobbiamo.

SADOQUIZ

«Mi dia del lei! Ha capito? Mi dia del lei!»

Palmiro Togliatti o Silvio Berlusconi? Chi ha gridato queste parole in pubblico? E in quale occasione?

Colpe estetiche

STAMPATELLO NON È BELLO

Prima di tutto, il nome: stampatello. Provate a ripeterlo un po' di volte: è ridicolo. Un participio passato che fa il vezzoso, senza motivo apparente. Un nome antico, che sa di banchi di fòrmica e grembiuli. «Bambini, oggi lo stampatello!» E noi, a testa bassa, tracciavamo lettere angolose, convinti che non sarebbero sopravvissute a lungo, come gli accenti del verbo avere (io ò, tu ài, egli à...).

Esisteva anche lo stampatello minuscolo, meno odioso. Avevo un amico – oggi ortopedico insospettabile – che mescolava i due stili, e scriveva così: «Mi cHiAmO FRanCEsco...». I suoi quaderni sembravano lettere anonime, ma gli volevamo bene.

Lo stampatello, indifferente alla nostra antipatia, ha tenuto duro, e alla fine ha vinto. Oggi – l'avrete notato – è di gran moda. Gli adolescenti ormai non usano altro: maiuscolo, scritto a velocità inquietante. Ventenni e trentenni preferiscono lo stampatello minuscolo, sperando così di riuscire a leggere ciò che hanno scritto. I loro appunti – soprattutto quelli femminili – sono faticosi, ma aggraziati: apostrofi e accenti sembrano farfalle su un campo di fiori.

Corsivo, poco o niente. Molti di noi non sanno più scriverlo: la mano si rifiuta di unire una lettera all'altra, quasi temesse malattie infettive. Di calligrafia non parla più nessuno. Scrivere un biglietto a mano sta diventando una prova e una sfida. Senza allenamento, produciamo scarabocchi e sgorbi.

Ma non si può mandare un biglietto di condoglianze in stampatello. Bisogna scriverlo in corsivo (che noi chiamiamo anche «corsivo inglese», e gli inglesi *italics* – il mondo è buffo). Per molti è una sofferenza. Scrivono, e poi vanno dalla moglie a chiedere cos'hanno scritto. Le *n* si confondono con le *u*, le *r* sono uguali alle *i*, le *a* sembrano mosche schiacciate su un parabrezza, le *z* e le *f* hanno il trattino a righe alterne. Ma la moglie non è la maestra. Non sprona: sbotta. «Cos'è quello schifo? Non si capisce niente. Qui hai scritto *deferenti* o *deficienti*? E guarda le *l* di *cordiali saluti*: sembrano incinte.»

Offeso, lo scrivano si ritira. Odia tutti: la moglie, la maestra, il destinatario del biglietto. Poi s'avvicina al computer. E se gli mandassi un'email?

UNA QUESTIONE DI PRECEDENZE

Nel 1866, a chi gli domandava se fosse davvero lui l'autore di un sonetto firmato «Manzoni Alessandro», l'ottantunenne autore dei *Promessi sposi* rispose seccato: «Sarebbe per me nota sufficiente di falsità il vedere che il cognome ci si trova anteposto al nome di battesimo, cosa non mai usata da me nel sottoscrivermi».

Bravo, don Lisander. Così si fa: duro, puro e chiaro. Il cognome prima del nome si può usare solo sugli elenchi (per facilitare la ricerca); o in alcuni moduli prestampati. Ma quando esiste la libera scelta, non sia mai. Il cognome prima del nome è una genuflessione inconscia. «Sono Pinco Pallino!» è, in fondo, una forma di orgoglio pinchesco. «Sono Pallino Pinco...» vuol dire presentarsi come un suddito, un numero, uno dei tanti pallini di questo mondo.

Il cognome prima del nome è un indicatore psicosociale, come l'avambraccio sinistro sul tavolo mentre si mangia. Una cosa così l'avrebbe potuta fare Eugenio Montale, se avesse voluto; voi e io, no. Una lettera firmata «Piselli Luigino» indica che il poveretto, oltre a un cognome impegnativo, ha anche un atteggiamento sbagliato. C'è servilismo, in quell'inversione. Inevitabile per una recluta il primo giorno di caserma, mezzo secolo fa. Non per Luigino Piselli, moderno cittadino italiano.

Ricordate il *Cerutti Gino* di Giorgio Gaber («Il suo nome era Cerutti Gino / ma lo chiamavan Drago / gli amici al bar del Giambellino / dicevan ch'era un mago»)? Il cognome anteposto al nome era un modo efficace d'indicare l'ambiente milanese in cui si muoveva il personaggio. Ma ciò che era stilisticamente possibile in un bar del Giambellino nel 1962 è improponibile in un caffè di corso Magenta nel 2007. Cerutti Gino ha lasciato il posto a Gino Cerutti. Un nome con cui – Gaber sarebbe sorpreso – oggi puoi lanciare una linea di abbigliamento.

Insomma: se anteporre il cognome al nome è una dichiarazione, un vezzo o una provocazione, fate pure. Altrimenti, lasciate perdere. L'unica lingua europea in cui esiste questa regola è l'ungherese. Ecco: se vi chiamate Miklos di nome e Vasarhely di cognome, presentatevi pure come «Vasarhely Miklos». In tutti gli altri casi, date retta a Sandrino Manzoni e al sottoscritto.

Il mio amico Bill Emmott, quando ha lasciato la direzione dell'«Economist» dopo tredici anni (1993-2006), s'è fatto stampare un nuovo biglietto da visita. Dice: «BILL EMMOTT – WRITER». Sotto, indirizzo telefono email; sul retro, i titoli dei suoi libri. Non un indizio sul fatto che abbia diretto una testata così importante, raddoppiandone le copie. Bill oggi si considera uno scrittore. Quello che ha fatto lo mette nel curriculum, mica sulla *business card.*

Una cosa del genere in Italia? Impensabile. Biglietti e carta da lettera grondano titoli, passati presenti e futuri. Contengono esibizioni, dichiarazioni, allusioni. Piccoli segni d'insicurezza che non sfuggono all'occhio allenato (quello delle donne, per esempio). Dimenticavo. Se m'avete dato un biglietto da visita negli ultimi mesi, e leggendo vi capitasse di pensare «Non sarò mica io, quello?», vi dico: SÌ, SIETE PROPRIO VOI!

IL REDUCE Classica figura italiana, ama indicare quello che è stato e non è più. «Dr. Innocenzo Reuma – Già Farmacista in Abano Terme». «Colonnello a.r. Fermo Comandini», dove *a.r.* sta per «a riposo». Eccetera.

L'ACCUMULATORE Sperando di far colpo, elenca titoli di studio, incarichi, onorificenze, decorazioni («Grand Uff. Comm. Prof. Dr. Ing. Llb Msc Mbe Tancredi Cavilli»). È la versione civile del generale «con cimiteri di croci sul petto» (© F. De André). Doverosa annotazione: in materia, i tedeschi sono peggio di noi.

FURBETTO NAZIONALE Mette il titolo di «professore» sulla carta intestata, anche se in tutta la vita ha insegnato per sei mesi a contratto.

FURBETTO INTERNATIONAL Usa il titolo di «dottore» sul biglietto da visita, sapendo di confondere i colleghi nordeuropei e americani (che lo riterranno titolare di un PhD).

GLI SCADUTI Chi mette le mani su un titolo, in Italia, non lo molla. Se uno grida «Presidente!» nel centro di Roma, crea un ingorgo. I più feroci nella conservazione del privilegio sono gli ex parlamentari. I biglietti recitano «Onorevole XY» e «Senatore WZ», anche se i due hanno perduto il seggio ai tempi del governo Goria. Si rendono conto d'indurre il prossimo in errore? Certo, è ciò che vogliono.

ISTRUZIONI PER INCOMPRENSIONI

La quasi totalità delle lettere viaggia ormai per posta elettronica. Ma qualcuno che scrive a mano c'è sempre (perché talvolta è opportuno, perché è elegante, perché gli piace, perché non ha voglia di accendere il computer).

Ecco dieci regole da seguire se volete che la vostra missiva, costata un'ora di fatica e un francobollo, venga ignorata, buttata o divorata durante un attacco isterico.

1. Utilizzate la vostra scrittura abituale, quella che la maestra chiamava «a zampe di gallina». Il destinatario, che non è un gallo, si innervosirà.

2. Scrivete fitto per quattro facciate, utilizzando la carta da lettera telata rimasta nel cassetto del comò dal 1981.

3. Per chi scrive a macchina: utilizzate il vecchio nastro Olivetti ormai asciutto, quello che scrive un po' nero e un po' rosso.

4. Firmate con lo scarabocchio allenato da decenni di assegni e sovrapposizioni sui timbri.

5. Imbottite la busta come un panino, inserendo fotocopie, fogli sparsi, ritagli e copie di lettere ai giornali, indirizzate per conoscenza al Presidente della Repubblica.

6. Insultate, e poi firmate «Un amico». Lo faceva la mafia americana e dicono non stia bene.

7. Scrivete ogni settimana per tre anni, così convincerete il destinatario che la prima volta non doveva rispondervi.

8. Inserite piccoli segni di disperazione. Per esempio, francobolli per la risposta o carta da lettere grondante titoli (vedi sezione precedente).

9. Utilizzate fogli di quaderno, strappati malamente (a proposito: vostra figlia cosa dice?).

10. Fotocopiate questa pagina, mettetela in una busta e scrivete: «Severgnini, come si permette! Io non faccio nessuna di queste cose».

MASOTEST

Ecco tre esempi di pessima scrittura. Li ho tratti da lettere che ho ricevuto. Considerateli una piccola ritorsione, e decifrateli.

1.

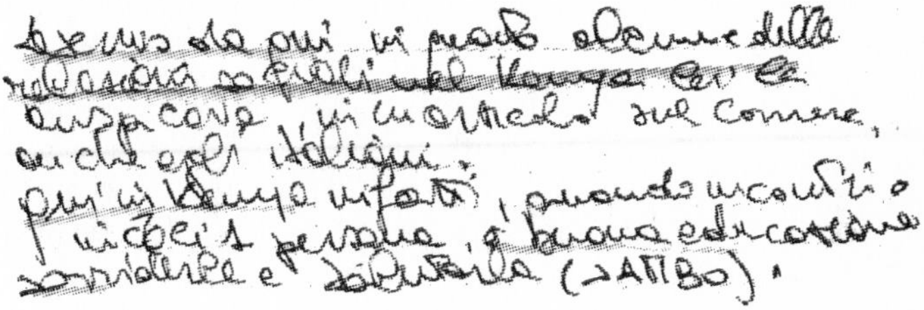

Scrivo da qui ove provo alcune delle relazioni sociali nel Kenya. [illegible] ci mancherà sul Corriere, anche agli italiani. Qui in Kenya infatti, quando incontri o incroci 1 persona, è buona educazione sorridere e salutarla (JAMBO).

2.

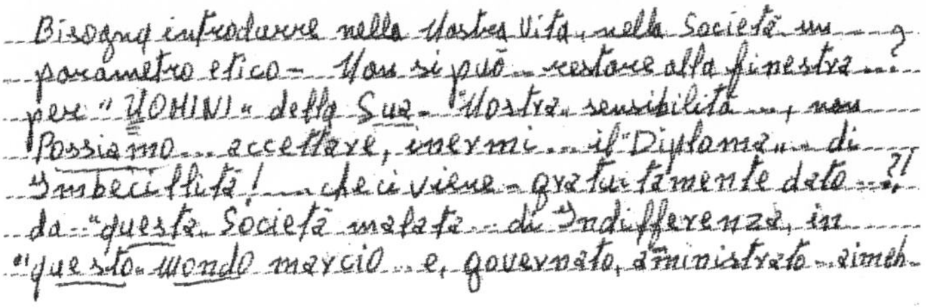

Bisogna introdurre nella Nostra Vita, nella Società un parametro etico - Non si può restare alla finestra...? per "UOMINI" della Sua - Nostra sensibilità..., non Possiamo... accettare, inermi... il "Diploma"... di Imbecillità!... che ci viene gratuitamente dato...?! da "questa Società malata di Indifferenza, in "questo mondo marcio... e, governato, amministrato [illegible]

3.

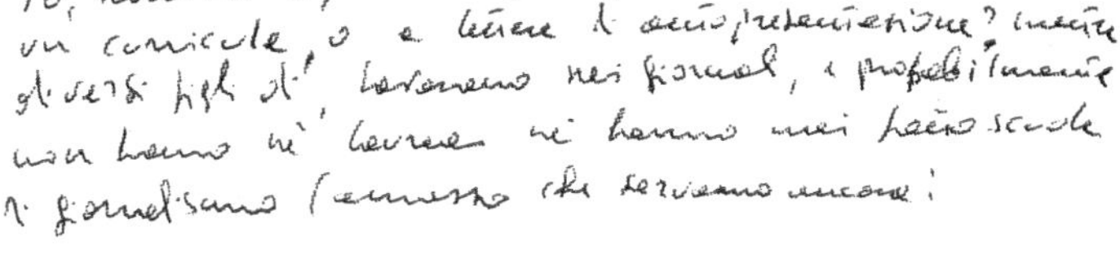

io, sconosciuto, non vengo [illegible] a rispondere ad un consiglio, o a lettere di autopresentazione? inoltre diversi figli di [illegible] lavorano nei giornali, e probabilmente non hanno mai lavorato né hanno mai fatto scuola di giornalismo (ammesso che servano ancora!

Scadenza dei termini

Per chi scrive, è utile sapere da dove viene e com'è fatto l'italiano (allo stesso modo, un cuoco dovrebbe conoscere la provenienza dei cibi che cucina). Non possiamo riassumere cinque anni di liceo in un capitolo, ma abbiamo spazio per rispondere a un paio di domande. Qual è il rapporto del latino con l'italiano? E i dialetti di chi sono figli: del primo o del secondo?

Se lo sapete, passate al capitolo successivo. Altrimenti, continuate.

Sulla prima questione Bruno Migliorini – un grande linguista che aveva il dono della chiarezza e il gusto della pubblicazione – è chiaro. In una delle conversazioni radiofoniche raccolte nel 1949 spiega che il rapporto tra latino e italiano parlato si può riassumere in una parola: continuità.

Trasportiamoci con la mente in un villaggio di Toscana e immaginiamo di essere messi in grado di ascoltare, di generazione in generazione, di secolo in secolo, la lingua che vi si è parlata dall'età romana, cioè da quando è scomparso l'ultimo vecchio che parlava etrusco, fino ad oggi. Di padre in figlio si sono avuti mutamenti ben lievi: qualche suono si è cambiato, un certo numero di vocaboli hanno sostituito altri vocaboli o sono venuti ad aggiungersi al patrimonio lessicale ereditario: ma insomma non vi è mai stato un momento in cui i parlanti abbiano avuto coscienza di esprimersi in una lingua diversa da quella dei loro genitori. Né è lecito a noi fissare questo momento se non scegliendo arbitrariamente qualche particolarità e dicendo: «Qui finisce il latino e comincia l'italiano».

Per la lingua scritta, è diverso. Nell'abbazia di Montecassino è conservato un documento del 960: tutto in latino, fuorché una formula italiana ripetuta quattro volte (*Sao ko kelle terre, per kelle fini que ki contene, trenta anni le possette parte Sancti Benedicti*). Il notaio riporta testualmente le parole in volgare pronunziate dai testimoni, che dichiarano di sapere come, da trent'anni almeno, i monaci benedettini possedessero i beni descritti. Com'è noto, è la più antica testimonianza di italiano scritto.

Sempre Migliorini:

Qui fra le due lingue c'è una distinzione ben netta: il notaio sa di scrivere e vuole scrivere in latino, ma, arrivato al punto in cui i testi depongono, riporta testualmente le parole in volgare. Di secolo in secolo, lentamente e quasi insensibilmente, il latino parlato si era mutato in italiano; ma per le scritture si era continuato sempre a usare più o meno correttamente il latino, rimasto presso che immobile. Quando a un certo punto si è indotti a mettere in carta qualche frase di quella lingua che effettivamente si parla, il confronto fra il latino rimasto cristallizzato e il latino che si è mutato, salta agli occhi.

Quindi, lode ai notai, pronti a registrare la realtà. Diciamo che l'italiano parlato si può paragonare a un film, ed è costituito da una serie ininterrotta di fotogrammi; l'italiano scritto, invece, è fatto di fotografie scattate a distanza di tempo. Immaginate un vostro ritratto a tre anni, a quindici, a trenta e a settanta: la differenza sarà evidente.

E i dialetti? Nascono dalla trasformazione del latino parlato; non dell'italiano. Tra tutti, com'è noto, se n'è imposto uno, il toscano, che s'è lentamente trasformato nell'italiano moderno. Come è accaduto? Ancora Migliorini:

> Ci si consenta una similitudine. Immaginiamo una foresta in cui per alcuni secoli alcune centinaia di piante della stessa specie ma di diversa varietà si siano riprodotte spontaneamente. Supponiamo ora che, a un dato momento, intervenga un arboricoltore che scelga la varietà più pregiata e innesti con marze di quella varietà tutte quante le altre. Questo pressappoco è avvenuto in Italia, dopo che i tre grandi trecentisti, Dante, Petrarca, il Boccaccio, hanno elevato il fiorentino illustre al più alto fastigio. Negli ultimi decenni del Quattrocento e nei primi del Cinquecento tutti cercano di conformarsi ai modelli letterari offerti da quei tre grandi.

Nell'italiano moderno sono evidenti contributi di molte altre regioni. Qualche esempio, giusto per capirci:

- la Liguria ci ha dato *boa*, *scoglio* e *molo*
- il Piemonte *bocciare* a scuola (a Firenze, *schiacciare*)
- l'Emilia il *birichino* e il *mezzadro*
- la Lombardia molte ragazze *mica* male
- Venezia il *catasto* e la *gazzetta*
- Roma il *pupo* e la *racchia*
- Napoli *pizza*, *vongole* e *mozzarella*

Ora che abbiamo le idee più chiare, possiamo decidere: per scrivere in modo efficace, serve conoscere i dialetti, i classici italiani e il latino? Risposta: male non fa. Per tornare alla similitudine del cuoco: è utile sapere che il sale viene dal mare e il burro dal latte. Aiuta a dosare, a cucinare, a servire in tavola.

PASSATO PROSSIMO

Si chiamava Aldo Borlenghi (1913-1976), ed era uno zio d'acquisto: critico letterario, poeta, filologo, amico di Bacchelli e Ungaretti. E toscano. Anzi, fiorentino. Come tutti gli abitanti della città di Dante, Aldo era convinto che i fiorentini fossero gli unici in grado di parlare l'italiano come si conviene (in effetti, solo a Firenze dicono *codesto* e *sicché* senza diventare ridicoli). Era disposto a estendere il privilegio a Pisa, dove aveva studiato, e a qualche altra città toscana. Ma più in là, che io ricordi, non andava.

In compenso, Borlenghi era un ammiratore del dialetto e della sua capacità d'invenzione. Una volta, a tavola, ha sentito dire dalle parenti cremasche della moglie Franca: «*I àn i'è i àn!*», che vuole dire: «Gli anni sono gli anni!» (saggia consolazione per l'età che avanza, meglio dei lifting). All'inizio ha pensato fosse cinese. Quando hanno tradotto, s'è illuminato: «Ma è bellissimo!», ha detto, e ha continuato a ripetere «*I àn i'è i àn!*» per tutto il pasto. L'accoppiata dialetto cremasco/accento fiorentino produceva un effetto indimenticabile. Non per niente, a distanza di tanti anni, me ne ricordo ancora.

I àn i'è i àn! non è l'unica espressione dialettale che considero più efficace dell'equivalente italiano: e uso, quando serve. Meglio il cremasco dell'inglese, anche per gli effetti che produce sull'interlocutore. Facile (e ridicolo) esclamare «*I can't believe it!*» durante una riunione di lavoro. Meno ovvio dire «*Mae 'n bés!*» – letteralmente «Mangio una biscia!» – che vuol dire la stessa cosa: «Non ci posso credere!».

Il miglior commento su una persona insulsa l'ho sentito dalle zie a Offanengo, il Texas del cremasco, da cui viene la varietà di dialetto che vi propongo: «*L'è cumè ciücià i ciot...*», ovvero «È come succhiare i chiodi...». Provateci, e vedrete se Francesca, Laura e Irene Severgnini non avevano ragione. Così «*L'è löstre cumé 'n panaròt*» («È lucido come uno scarafaggio») è la perfetta descrizione del bulletto elegante, uno di quelli che infestano oggi la TV. E «*Ara se ta ghet la siola piena*» («Guarda se hai la dispensa piena») è un modo per dire: ma di cosa ti lamenti, con quello che hai?

Insomma, avete capito. Il dialetto non si salva solo con le poesie, le commedie e i festival. Si tramanda anche infilandolo nel discorso, come un cetriolino in un panino. È un po' snob, lo ammetto. Ma mica possiamo parlare tutti inglese. A Offanengo lo capiscono poco, e a Milano lo parlano male. Meglio rinnovarci, sfruttando i nostri vecchi.

PASSATO REMOTO

Se visitate la Sala delle Pale nella Villa Medicea di Castello, sede fiorentina dell'Accademia della Crusca, capirete tre cose.

1. I linguisti guadagnano poco, ma si divertono un sacco.

2. I linguisti registrano tutto, ma non sono del tutto registrati.

3. La lingua italiana è un arsenale da cui tiriamo

fuori sempre i soliti schioppettini, dimenticando che contiène cannoni.

Mi spiego. Ognuna delle 153 pale cinque-settecentesche porta un'immagine, il motto e il nome scelto dall'Accademico possessore. Si tratta quasi sempre di aggettivi. Alcuni – Abburattato, Ammazzerato, Diloppato, Imbozzimato, Viperato – sono ormai incomprensibili. Provate a dire: «Peccato per Andrea! Sembra ammazzerato». L'interlocutore penserà a un tentato suicidio (di Andrea) o a un disturbo mentale (vostro). Solo poco più chiaro è *viperato* (un paio di colleghe di mia conoscenza lo porterebbero con classe).

Altri aggettivi, invece, li usiamo ancora oggi, e non sapremmo farne a meno. Per esempio Affamato, Ansioso, Contento, Fortunato, Pronto. Questi vocaboli hanno superato la prova del tempo che, alla fine, è l'unica che conta. Sarà interessante vedere se le «parole nuove» segnalate dalla Crusca (sitografia, videofonino, no global, badante, girotondo, bipartisan, cartolarizzazione) mostreranno la stessa resistenza.

La categoria più interessante è tuttavia la terza. Contiene aggettivi che usiamo poco, ma restano comprensibili, e hanno una grande forza. Qualche esempio tra gli Accademici con la «S»: Sprovveduto, Smunto, Snidato, Sollecito, Suggellato. Pensate che, usandoli, verreste classificati come persone pedanti e infrequentabili? Vi sbagliate. Definire un fidanzato *sprovveduto* è un modo d'insultarlo con stile; chiamarlo *sollecito* è una maniera per dire che è servile, e dovrebbe smetterla. Descriverlo *smunto*, invece, può essere pericoloso. Se capisse – non è detto – correrebbe a farsi la lampada.

Cosa sto cercando di dire? Questo: scrivere/parlare con efficacia è utile, affascinante e gratuito. In un mondo dove tutti sono sempre in cerca di costosi strumenti di seduzione sociale, il lessico – usato con intelligenza – costituisce una miniera d'oro. Non c'è bisogno di andare fino all'Accademia della Crusca (anche se vale la pena). Bastano un vocabolario, un taccuino, una matita appuntita e la televisione spenta.

TRAPASSATO REMOTO

Per consolare i ragazzi che dovranno studiare molto il latino, e incuriosire i lettori che l'hanno studiato poco (o nulla), proviamo a ragionare sull'utilità di quella che non è una lingua morta. A meno che decidiamo di ucciderla, togliendola dalle scuole.

Vi aspettate, a questo punto, dotte considerazioni sull'importanza della cultura classica? Scordatevele. Certe cose si capiscono da soli, quando i diciott'anni si sono compiuti già tre volte. Se un ragazzo del liceo s'innamora perdutamente di Catullo, preoccupatevi. Meglio che scelga una bella fanciulla del ginnasio, e usi Catullo come arma tattica (a piccole dosi, funziona).

Dunque: a cosa serve, oggi, il latino? A tre cose, sicuramente.

A DISCUTERE Il «Guardian» dice che il latino non è solo utile, ma resta «un grande livellatore sociale» (tutti possono impararlo, se s'impegnano). Il «Financial Times» sostiene invece che occorre mollare la lingua di Cicerone («sempre più sfoggio di erudizione e dimostrazione di una gioventù sprecata»), in favore del cinese, «che consente di parlare anche con qualcuno che non sia il Papa». Un particolare curioso: il quotidiano economico inglese ha affrontato l'argomento in seguito a una lettera polemica ricevuta da un quindicenne di Roma, forse stanco di leggere Livio che racconta di Lucrezia molestata da Tarquinius Sex. (che non vuol dire «sesso», ma «Sesto». «*Tace, Lucretia: Sextus Tarquinius sum; ferrum in manu est; moriere, si emiseris vocem.*»).

A CAPIRE QUELLO CHE DICIAMO Come molti sanno – e tutti dovrebbero sapere – le lingue classiche non stanno solo alla base della lingua italiana, ma hanno costruito il sistema di riferimenti nel quale ci muoviamo. Se uso *optimum* e *media* – giusto per stare ai neutri – sto parlando latino. Lo so che lo sapete. Però è il caso di ricordarlo, ogni tanto.

A CAPIRE COME FUNZIONA LA MAC-CHINA Il latino è una lingua logica. Chi oggi sa scovare un ablativo assoluto, o capire una perifrastica, domani saprà leggere testi difficilissimi (codici tributari, libretti d'istruzioni, scatole di medicinali). Tradurre vuol dire immaginare diverse soluzioni possibili, metterle alla prova e scartarle. Come nel *sudoku*, solo che è più divertente.

Due di questi motti contengono un errore: trovatelo.
(*N.B. Le traduzioni sono uno scherzo. Non usatele in un compito in classe. O meglio: se lo fate, non rispondo delle conseguenze.*)

Aula magna
   (Mensa)
Brevi mano
   (Non è rigore, l'ha solo sfiorata!)
Carpe diem
   (Venerdì, pesce)
Ex abruptu
   (Digestione difficile)
Homo homini lupus
   (A ognuno il suo pastore tedesco)
Memento mori
   (Bei tempi, quando non dovevo tingermi)
Ora pro nobis
   (Adesso tocca a noi)
Sic transit gloria mundi
   (È così pulito il monovolume di Gloria!)
Sursum corda
   (Le ultime parole di Saddam)

Terza parte

DISAGIO E PUNTEGGIATURA

C'è una certa misura di fatica in tutto ciò che scriviamo, ma è necessario che questa misura di fatica non sia superata mai. O meglio la fatica di quando scriviamo dev'essere fatica naturale e felice, ma non dev'essere mai la fatica triste e fredda del pensiero.

Natalia Ginzburg

I segni di interpunzione contribuiscono a rendere sensuale e musicale la lingua: per scrivere in maniera seducente, bisogna saperli usare. I linguisti li hanno chiamati «segni paragrafematici», cercando di renderceli antipatici. Ci sono riusciti. C'è un aspetto discrezionale, nella punteggiatura, che ci mette a disagio. Punti, virgole, due punti, punti interrogativi, virgolette: molti li considerano trappole, piccole botole in cui è facile cadere. È sbagliato. I segni di interpunzione rappresentano invece gli svincoli del testo. Se non ci fossero, le parole formerebbero un unico, gigantesco ingorgo.

Punto

Il punto è il soldato semplice della punteggiatura. L'artiglieria esclamativa è potente, la cavalleria interrogativa è veloce, le trincee dei due punti sono utili, come vedremo. Ma senza il punto non si vincono le battaglie.

Il punto ha subìto una mutazione, negli anni. Una volta se ne usavano pochi; oggi se ne mettono troppi. Molta prosa moderna – dalle email ai romanzi – è una scarica di punti. «Lui entrò. La vide. Bella, pensò. La baciò. Così. Ma poteva continuare. Uscì. Non tornò.» E per fortuna, dico io: altrimenti entravo nella frase, e lo schiaffeggiavo.

L'assenza di punti provoca l'ansia; l'eccesso di punti, il singhiozzo. È vero che il punto permette d'eliminare virgole, congiunzioni e altre presenze complicate. Ma c'è un limite. Il Puntingordo – così come il Puntesente – è un sadico che non sa scrivere, ma non vuole rinunciare a dire la sua, abusando della nostra pazienza.

Scrivono i benemeriti della Crusca: «Il punto (anticamente punto fermo, maggiore, stabile, finale o periodo) si usa per indicare una pausa forte che segnali un cambio di argomento o l'aggiunta di informazioni di altro tipo sullo stesso argomento». Se la pausa è più lunga, è bene ricorrere al punto e a capo.

Aggiungo: il punto è obbligatorio alla fine delle abbreviazioni (dott., prof., ing.) e facoltativo negli acronimi (Associazione Bambino in Ospedale, ABIO o A.B.I.O.). Se una frase finisce con un'abbreviazione, o con un acronimo puntato, il punto non si ripete («Proprio bravi, quelli dell'A.B.I.O. Bisogna aiutarli!»). Dimenticavo: l'abbreviazione al centro della parola esiste, vuole il punto, ma fa abbastanza schifo («Sig.ra prof.ssa!» «Dimmi, caro, hai inghiottito di nuovo il cappuccio della biro?»).

Le regole sono più o meno queste: poca roba, ma c'è chi riesce a farne scempio. Punti non seguiti dalla maiuscola, punti a capo senza capo né coda, punti non seguiti da uno spazio, punti a capocchia. Il punto, segno minimalista, diventa così grottesco, pesante, pedante. È come se un cuoco servisse i *luartìs* nel brasato. Come, cosa sono i *luartìs*?! Sono punti vegetali, piccoli colpi di genio della pianura lombarda, microdelizie da usare con parsimonia. Qualcuno li chiama «germogli di luppolo selvatico», togliendo poesia. Li consiglio nella frittata: come il periodo, cambierà sapore.

Virgola

C'è chi, della virgola, s'è innamorato. Scriveva Giacomo Leopardi, in una lettera a Pietro Giordani (1820): «Io per me, sapendo che la chiarezza è il primo debito dello scrittore, non ho mai lodata l'avarizia de' segni, e vedo che spesse volte una sola virgola ben messa, dà luce a tutt'un periodo».

C'è chi, con una virgola, ha fatto i soldi. È il caso di Lynne Truss, autrice del bestseller *Eats, Shoots & Leaves* (2003). Il titolo descrive le azioni d'un pistolero («Mangia, spara e se ne va»). Basta levare la virgola («Eats Shoots and Leaves»), e racconta le abitudini di un panda («Mangia germogli e foglie»).

Non sempre la virgola ha conseguenze così drammatiche: ma spesso aiuta a chiarire il discorso, e quindi la vita. Buona parte della logica, scriveva Niccolò Tommaseo, potrebbe ridursi a un trattato sulle virgole. La virgola è duttile, ma non può far tutto. Non può, per esempio, separare il soggetto dal predicato («Marco, guarda i capelli della moglie e si spaventa»), né il predicato dall'oggetto («Marco guarda, i capelli della moglie...»). Non deve precedere una relativa limitativa («La moglie mostrò al marito i capelli, che aveva appena rovinato») mentre è comune prima d'una relativa esplicativa («La moglie, che era stata da un parrucchiere incosciente, spaventò il marito Marco»).

Fin qui la teoria. In pratica, il problema è inverso rispetto a punto e virgola e due punti, che rischiano l'estinzione. La virginea virgola subisce fin troppe attenzioni. Molestie, direi. C'è chi l'acchiappa e la sbatacchia qui e là; chi ne fa un uso maniacale; e chi non l'adopera mai, quasi la temesse. Un noto intellettuale mi ha scritto, giorni fa, e ha infilato 304 parole (contate) senza virgole né punti. Quello che diceva era interessante. Ma, per leggerlo, occorrevano le bombole d'ossigeno.

Eppure è semplice. «Quando parliamo, facciamo ogni tanto pause più o meno brevi che servono a rendere più chiaro e colorito il nostro discorso. Nella scrittura, queste pause si traducono nei segni d'interpunzione», leggo in *La nostra lingua – Libro di regole ed esercizi sulla grammatica per la prima classe delle scuole medie inferiori* (Giuseppe Lipparini, 1925). È ancora così: certe cose non cambiano. Siete incerti se mettere la virgola prima della congiunzione *e*? Non importa. *Quindi* va messo tra due virgole? Chi se ne frega. Cercate invece di riprodurre le soste della voce, che corrispondono al viaggio del pensiero: fermata, virgola; sosta breve, punto e virgola; sosta, punto. Parcheggio e cambio veicolo: punto e a capo.

Dite che tutto ciò, con le email, non conta più? Conta, invece. Presentarsi con una punteggiatura squallida è come farsi vedere coi capelli sciatti. Marco si spaventa, e non è l'unico.

Punto e virgola

Su un libro di testo sottratto a un nipote liceale trovo questa sconcertante affermazione: «Il punto fermo a volte può essere sostituito dal punto e virgola, che indica una pausa meno netta. Il punto e virgola si usa infatti quando il rapporto tra le due frasi o i due periodi è molto stretto, ma è necessario spezzare la frase che altrimenti diventerebbe troppo lunga. L'uso del punto e virgola, comunque, non è indispensabile».

Non è indispensabile? Protesto. Il punto e virgola è più che indispensabile; è comodo (vedete?), filosoficamente utile e politicamente interessante. Secondo T.W. Adorno è «il simbolo stesso della dialettica»: supera e riprende quel che è antecedente, e lo trasforma in qualcosa di diverso. Mi permetto d'aggiungere: il punto e virgola è ammirevole. Una scelta liberale di fronte alla dittatura del punto e all'anarchia delle virgole.

I nemici del punto e virgola dicono: bisogna semplificare! Sono i *machos* dell'interpunzione. Vogliono punti fermi, esclamazioni, domande; il punto e virgola viene considerato un segno equivoco. E se anche fosse? La punteggiatura è moralmente neutra. La promiscuità tra trattini e parentesi è da scoraggiare in quanto confusionaria: non per ragioni etiche. Così, l'eccesso di puntini di sospensione – ne parleremo tra poco – va combattuto per motivi estetici. Questo morbillo delle email è infatti brutto da vedere, e contagioso.

So che molti autori usano poco il punto e virgola, e preferiscono mitragliare la pagina di punti. Rispetto la scelta, e resto della mia idea. In mani esperte il punto fermo regala ritmo al discorso. Ma resta un segno assolutista: obbliga alla maiuscola, che è una forma d'inchino ortografico.

Il punto e virgola, invece, è democratico e duttile: permette di rallentare fino quasi a fermarsi, e proseguire. Cambiando soggetto, oppure no. L'autore del testo liceale sostiene che serve per «spezzare la frase che altrimenti diventerebbe troppo lunga». Riduttivo. Il punto e virgola è invece il più piccolo manifesto ideologico mai scritto; bisogna saperlo leggere, però. Contiene una dose di dubbio e suspense, e obbliga a una deliziosa, impercettibile apnea mentale. Nello stesso tempo è un avvertimento al lettore: «Ehi, guarda che cambio discorso; ma potrei riprenderlo, se mi va. Quindi, attento a non dimenticare quello che ho appena scritto!».

Certo, vale anche per voi.

Due punti

I due punti (punto addoppiato, o doppio), secondo la Crusca, «avvertono che ciò che segue chiarisce, dimostra o illustra quanto è stato detto prima». Buon riassunto. Aggiungerei questo. I due punti sono una finestra sul periodo: portano una ventata d'aria fresca, e una raffica di possibilità (rileggete la frase precedente. Non è la prova?). Importante è non eccedere. I due punti vanno usati solo una volta nello stesso periodo. Raddoppiare significa rischiare: due finestre aperte nella stessa stanza creano corrente, e sbattono.

I due punti, come il punto e virgola, segnalano la necessità di una pausa, più lunga della virgola e più breve del punto fermo. Ma a differenza del punto e virgola – una finestra con un'imposta chiusa – allargano l'orizzonte, lasciano sperare che laggiù in fondo appaia qualcosa d'interessante. Il punto e virgola – l'abbiamo appena scritto – è un segno filosofico. I due punti sono un segno geografico. Sono un'agenzia di viaggi nascosta nel periodo: conducono sempre da qualche parte.

I due punti sono un segno coerente. Anticipano la conseguenza o l'effetto di un fatto già illustrato, o un elenco. Eppure mettono a disagio lo scrittore, come il colpo di tacco preoccupa il calciatore. Se però lo impara, c'è il rischio che ne abusi. Il Duepuntista è il membro di una setta che conosco bene, poiché ne faccio parte. Ha capito che questo segno – magico, simmetrico, verticale – risolve situazioni complicate, e toglie quegli antipatici cigolii dal discorso.

Uno su tutti: il goffo «doppio *che*» nella frase. I due punti possono infatti introdurre l'oggettiva, anche in assenza di discorso diretto. «Giulio pensa che dovrebbe invitare quella ragazza che gli piace tanto»: sgraziato e lento (la ragazza non accetterà l'invito). «Giulio pensa: dovrebbe invitare quella ragazza che gli piace tanto.» Più spigliato ed efficace. La ragazza potrebbe accettare. Forza Giulio, che ce la fai.

Punto esclamativo

Il punto esclamativo è un desiderio, e i desideri vanno presi con le pinze. Nel *Gorgia* di Platone, Socrate spiega: chi pretende di soddisfarli tutti, sempre, è destinato all'infelicità e all'insuccesso. I desideri, infatti, tendono a riprodursi. Lo stesso vale per il punto esclamativo: è una tentazione pericolosa, cui bisogna saper resistere. Così, quando cediamo, sarà più piacevole.

Molti hanno detestato il punto esclamativo, forse perché ne intuivano le insidie. Scriveva il corrierista Ugo Ojetti nella prima metà del secolo scorso: «Odio questo gran pennacchio su una testa tanto piccola, questa spada di Damocle sospesa su una pulce, questo gran spiedo per un passero, questo palo per impalare il buon senso, questo stuzzicadenti pel trastullo di bocche vuote, questo punteruolo da ciabattini, questa siringa da morfinomani, quest'asta della bestemmia, questo pugnalettaccio dell'enfasi, questa daga dell'iperbole, quest'alabarda della retorica». E dopo una tirata del genere non metteva neppure un punto esclamativo! Questa è coerenza, signori.

Noi, oggi, non siamo così forti: pochi sanno resistere.

Se la virgola è francese, il punto è americano, il punto interrogativo è tedesco, il punto esclamativo è decisamente italiano. Un segno emotivo, eccitabile e lievemente enfatico. Per questo è di moda.

L'Italia è oggi in piena fase esclamativa. Titoli, pubblicità, programmi TV, siti internet, messaggi email: da qualche tempo tutti esclamano in modo incontrollato, e portano in giro i loro segni come baccanti (Venite! Leggete! Comprate! Cliccate qui!! Guardate là!! Uau, fantastico!!!). Chi aveva rinunciato al punto esclamativo dopo le elementari, ritenendolo ridondante, oggi si trova circondato.

Come spiegare il fenomeno, al di là del carattere nazionale? Una possibilità è questa: nel mercato delle mille offerte, chi vende/annuncia deve alzare il volume, per farsi sentire. Oppure si tratta di una scorciatoia per esprimere sorpresa, stupore, entusiasmo, delusione. Ottenere lo stesso effetto con le parole è più elegante (e magari questo libro vi aiuterà). Ma non tutti lo sanno fare, purtroppo!

Punto interrogativo

Il punto di domanda pone diversi interrogativi. Si può usare col punto esclamativo? La parola che segue dev'essere sempre maiuscola? Perché nelle interrogative indirette non ci vuole («Mi chiedo di che colore siano le tue mutande»)? Infine: chi l'ha inventato, sapeva quel che faceva?

Il punto interrogativo è infatti il segno più eloquente della punteggiatura, e qualcuno ne abusa. «Chi? Dove? Quanti? Come? Ancora?» Non è solo un'amica curiosa a esprimersi in questo modo: molti italiani fanno lo stesso. («Come? È vero?? Vieni domani??? Con chi???? Con Pablo, quello che somiglia a Giletti?????») Email e sms sembrano scritti da Capitan Uncino, e mettono ansia. Ricordate: un punto interrogativo segnala una domanda. Cinque diventano un interrogatorio.

Quel «ricciolo con avvolgimento antiorario soprastante verticalmente un punto» (da Wikipedia) suggerisce un'intonazione particolare. Talvolta, nascosto alla fine di una lunga frase, il punto di domanda ci frega (ecco perché gli spagnoli ne mettono un altro, capovolto, all'inizio del periodo). In greco antico il punto interrogativo era rappresentato da un punto e virgola. Nei secoli venne abbandonato: per indicare le domande, si utilizzava l'intonazione. Poi i monaci copisti del Medioevo presero a scrivere *qo* alla fine della frase per indicare la domanda (*quaestio*, in latino). Infine misero le lettere una sull'altra, mutando la *q* in un ricciolo e la *o* in un punto: ecco il punto di domanda moderno (grazie, anonimo wikipedista).

Prima di chiudere, risolviamo i due dubbi iniziali. Si può usare il punto interrogativo insieme al punto esclamativo? Sì, ma perché volete farlo?! Comunque, l'ordine è questo (secondo me): prima l'interrogativo (?!), se prevale la curiosità; prima l'esclamativo, se domina la sorpresa (!?). Infine: la parola che segue dev'essere per forza maiuscola? No. Talvolta, quando il ragionamento continua e la pausa è breve, la minuscola è più adatta. Ma in un tema in classe, ragazzi, vi fidereste? mi chiedo.

Parentesi

Le parentesi sono come l'aglio, le elezioni e i cugini: ci vogliono, ma è meglio non esagerare. Il Parentesista è invece un bulimico: ha scoperto quella delizia paragrafematica, e non si ferma più. I suoi testi sembrano gare di tiro con l'arco: tutte quelle (((((tese a scoccare affermazioni inutili; tutte quelle)))))) pronte a ricevere la chiusura di un ragionamento inconcludente.

Peccato, perché le parentesi sono utili. Trasmettono, infatti, un messaggio: «Sai? Scrivendo, mi è capitato di pensare anche questo... Se lo vuoi leggere, bene. Ma non è indispensabile». Le parentesi, come scrive Ilario Bertoletti in *Metafisica del redattore* (2005), «ospitano una incidentale che potrebbe omettersi: una discrezione da prendere sul serio».

Il guaio è che molti di noi pensano a troppe cose, e le vogliono scrivere tutte insieme. Il ragionamento sussulta così in preda a un singhiozzo sintattico: «Caro Puccio (ma ti chiamano ancora così?), come stai (e come sta quello strafigo di tuo fratello)? Qui bene (diciamo così), anche se voglio che mia sorella (grande) si sposi e vada fuori dalle scatole così mi prendo la sua camera (piccola). Baci baci baci (e ancora baci). Tua, Picci».

C'è anche chi apre una parentesi, ma non la chiude. O meglio, la chiude dieci righe dopo, quando chi legge ha perso le speranze. È un vezzo diffuso anche tra noi giornalisti: siamo infatti convinti che i lettori seguano le nostre elucubrazioni, mentre vogliono soltanto sapere cosa abbiamo da dire.

Ecco perché l'inciso dev'essere breve (se è brevissimo, tanto meglio). In questo caso interrompe momentaneamente il discorso, che poi riprende. Un lungo inciso interrompe e basta. Ho letto romanzi contemporanei dove i periodi tra parentesi sono lunghi come tesi di laurea, e mi è capitato di pensare: se l'autore voleva scrivere DUE romanzi poteva farlo; ma non doveva spingerli uno dentro l'altro come le sezioni di un cannocchiale.

Altre due forme patologiche sono il Parentesismo Orale (quelli che, parlando, continuano a dire «Tra parentesi...») e il Parentesismo Elettronico (gli incoscienti che mettono le «faccine» nelle email): strizzano l'occhio all'interlocutore ;-) e gli sorridono :-) dimenticando che lo rendono soltanto triste :-(

P.S. Abbiamo parlato di parentesi tonde (e tonte, in molti casi). Esistono anche le quadre e le graffe, come sapete. Ma sono ben nascoste nella tastiera, e non possiamo usarle per combinare disastri.

Trattini

Il trattino è il segno più trascurato, il cenerentolo dell'ortografia. Peccato, perché al momento buono – d'improvviso, quando uno non se l'aspetta – aiuta a cavarsi d'impaccio.

Nell'ortografia italiana esistono due trattini. Il «trattino breve» ha più funzioni, come riassume Luca Serianni in *Prima lezione di grammatica* (2006): serve per andare a capo, per collegare due parti di un composto (guerra-lampo), per unire due cifre (Tangentopoli? 1992-93), per aumentare l'efficacia di un'espressione («Capito? Non-voglio-uscire-con-uno-che-ama-i-Pooh!»). Il «trattino lungo» serve invece per introdurre il discorso diretto (ma è cosa da scrittori). Il «trattino medio» infine indica un inciso. E questa è roba per tutti.

Questo segno in inglese è molto usato; e non prevede spazi tipografici, né prima né dopo («*The Mums–the Tupperware Generation?–cook ready meals for their children*»). Tra noi italiani suscita diffidenza; e non solo perché sulla tastiera manca (problema irrilevante, usate quello breve). Peccato, perché il trattino è utile. Segnala infatti un distacco interessante, diverso dalla virgola e dalla parentesi.

Prendete questa frase, sufficientemente moderna per essere verosimile e abbastanza maliziosa da mantenervi concentrati.

Il vanitoso viceministro, uomo noto per certe passioni, guardò la valletta con voluttà.

Il vanitoso viceministro (uomo noto per certe passioni) guardò la valletta con voluttà.

Il vanitoso viceministro – uomo noto per certe passioni – guardò la valletta con voluttà.

Nel primo caso, grazie alla neutralità della virgola, riferiamo un fatto (il viceministro è un porcellino). Nel secondo caso, protetti dalle parentesi, prendiamo le distanze (il viceministro è un porcellino, o almeno così dicono). Nel terzo caso, grazie ai trattini, introduciamo un po' d'ironia (il viceministro resta un porcellino; ma questa storia te la racconto la prossima volta).

Questione correlata, sollevata da una maestra elementare che sottopone ai poveri scolari le mie elucubrazioni linguistiche. Quando si deve chiudere, il trattino? Risposta: trattini e bambini sono incompatibili; questi sono segni da grandi! Rispondo, però, all'insegnante. Il trattino, come abbiamo visto, indica un inciso (possibilmente, breve). Quando l'inciso è finito – è ovvio – il trattino va chiuso: come ho appena fatto. L'unico caso in cui il trattino può NON essere chiuso è quando si trova alla fine del periodo, e introduce una sorta di post scriptum. Ma questo è un parere personale – e si sa cosa contano, i pareri dei giornalisti.

Puntini di sospensione

I puntini di sospensione sono utili: esprimono incertezza, reticenza, imbarazzo, vaghezza... Il guaio qual è? Qualcuno esagera. E usa i puntini – tre, non uno di più e non uno di meno – per mascherare atteggiamenti inconfessabili. Forse per questo il segno è tanto popolare, da qualche tempo.

Chi sono i Puntinisti? Individui che non hanno la costanza o il coraggio di finire un ragionamento. Le loro frasi galleggiano nell'acqua come le ninfee di Monet («Caro Severgnini... come dirlo? Mio marito Alfonso la detesta... Lei ha troppi capelli! Ieri... non ci crederà... Alfi ha tirato un suo libro al nostro vicino, lamentandosi che non fosse... un'edizione rilegata...»).

Raramente quest'orgia di puntini esprime un pensiero compiuto. Accompagna invece mezze ammissioni, spunti, sospetti, accenni, piccole vigliaccherie (non ho il coraggio di dire qualcosa, e alludo). Certo, uno scrittore del mestiere di Tom Wolfe riesce a maneggiare questa materia incandescente (vedi *Sono Charlotte Simmons*). Noi mortali, esagerando coi puntini, sembriamo semplicemente indecisi e sciatti.

Da dove viene tutto ciò? Credo che la moderna mania puntinista abbia una doppia origine: biografica (per i nati negli anni Cinquanta e Sessanta) e tecnologica (per chi è venuto dopo).

La mia generazione è stata corrotta dalla corrispondenza intimista degli anni Settanta (lettere fitte scritte a mano, per diluire in quattro pagine quello che non s'aveva il coraggio di dire in dieci parole). Se ve la sentite, e i figli non vi scoprono, andate a ripescare la corrispondenza di quel periodo: troverete un camposanto di puntini di sospensione, disposti casualmente e in numero formidabile. Erano la rappresentazione grafica di una generazione sospesa (politicalmente, culturalmente, sessualmente). Diventando grandi, alcuni di noi sono guariti. Altri no. E scrivono le email come scrivevano quelle lettere.

I giovani connazionali, invece, sono stati traviati dalla tastiera del computer. Basta tener pigiato il tasto del punto (.) e i puntini partono come una raffica di mitragliatrice (...........). Sono tanti, facili, rapidi, pericolosi: bisogna schivarli, o sono guai. Quando ricevo una email iperpunteggiata, so che l'ha scritta un ventenne («Egregio dott. Beppe......ho aspettato tanto a scriverLe....Avrei....desiderio...di intraprendere....come dire.....la carriera giornalistica, ma al momento mi dedico soprattutto......alla collezione di tappi di bottiglia»). Che dovrei rispondere? Di continuare coi tappi, probabilmente. Sono più colorati e meno pericolosi dei puntini. E nelle email, per adesso, non entrano (neppure come allegati).

Virgolette

Le virgolette sono pericolose. Dietro quel vezzeggiativo, si nasconde il segno più perfido dell'ortografia. Innanzitutto quelle signorinette – gambette che si agitano nel twist paragrafematico: vergogna! – sono tante. Possono essere alte o all'inglese (" "), basse o francesi o sergenti (« »), semplici o apici (' '). Le virgolette alte e basse si usano indifferentemente per le citazioni, o per circoscrivere il discorso diretto. Però, coerenza. Se si aprono le virgolette basse (francesi), non si possono chiudere quelle alte (inglesi): faremmo un torto all'italiano.

Già che ci siamo, risolviamo un dubbio comune. I segni di interpunzione si mettono di solito dopo aver chiuso le virgolette.

Letizia disse: «Non so chi è Lenin». E riprese a guardare il Tg4.

Fanno eccezione i punti esclamativi e interrogativi appartenenti alle frasi citate.

Letizia disse: «Chi è Lenin?». E riprese a guardare il Tg4.

93

Fin qui, tutto bene. Qualche giovane narratore ha però deciso di rinunciare alle virgolette col discorso diretto, rendendosi così incomprensibile; ma sono affari suoi.

Altra deformazione: le virgolette vengono utilizzate, sempre più spesso, per prendere le distanze dalle parole che si stanno usando. Questo è irritante; anzi, vigliacco. Se vuoi dire che scrivo da schifo, dillo. Non menare il can per l'aia e la virgoletta per l'aria («Caro Severgnini, il suo ultimo "pezzo" è un po' "insolito". L'ho fatto "assaggiare" al mio collega Filippo, quello "colto", e ha vomitato la brioche»).

Meno grave, ma altrettanto indisponente, è il corsivo enfatico, utilizzato per attirare l'attenzione su un vocabolo o un'espressione. Scrivendo con il computer è facile da ottenere. Ma se io voglio *veramente* sottolineare una parola, devo riuscirci in altro modo. È *troppo* facile ricorrere a questi trucchetti. *Chiaro*, amici formattatori?

Torniamo alle virgolette. Sono ammissibili quando si intende segnalare che un vocabolo è stato creato per l'occasione. Tra poco parleremo, ad esempio, di «maiuscolite» per protestare contro l'eccesso di maiuscole. Quest'uso è accettabile, a patto di non esagerare. Se in un periodo compaiono quattro neologismi tra virgolette, suggeriamo la prova del palloncino per l'autore («*La "maiuscolite" è una "grafosindrome" diffusa tra i "paleoscriventi" e rivela un "troppismo" enfatico davvero eccessivo*»).

Sgridate anche coloro che, parlando, dicono: «Tra virgolette...». Se poi accompagnano l'orrenda espressione con un gesto – mani alzate, le dita che si contraggono nell'aria, come se dovessero fare il solletico sotto le ascelle di Fassino – nessuna esitazione: schiaffeggiateli.

Siate severi anche con noi, professionisti della scrittura. Sui giornali italiani, per esempio, vanno di moda le «virgolette creative»: vengono giustificate con la necessità di sintesi ed efficacia in un titolo. Per esempio:

IL PAPA DICE: «VIVA LA TURCHIA!»

Uno legge e pensa: però, com'è spigliato Sua Santità! Poi legge il pezzo e scopre che l'interessato non ha detto nulla del genere. Ha solo espresso stima per il popolo turco, usando un linguaggio pontificio. Lo stesso è accaduto a Giorgio Napolitano.

«SU NAPOLI HO DATO LA SCOSSA»

In verità, il Presidente ha detto: «Volevo dare una scossa e impegnare il governo a fare di più per Napoli». Ho dato/volevo dare: è diverso, se ci pensate.

Ma volete pensarci, in questo casino nazionale? Senza virgolette, naturalmente.

Da questo estratto del mio libro *La testa degli italiani* (Rizzoli, 2005) è stata tolta la punteggiatura. Avete a disposizione:

9 punti fermi – 9 virgole – 2 due punti – 1 punto e virgola – 1 punto interrogativo – 1 coppia di trattini – 1 coppia di parentesi – 1 coppia di virgolette

Rimetteteli nel testo (senza dimenticare le maiuscole, che ho tolto per non facilitarvi).

Tempo concesso: due minuti.

I treni italiani sono luoghi di confessioni di gruppo e assoluzioni collettive perfetti per un paese che si dice cattolico ascoltate cosa dice la gente guardate come gesticola è una forma di spettacolo dite che le due cose confessionale e palcoscenico sono incompatibili altrove forse non in Italia

Siamo una nazione dove tutti parlano con tutti non è stata la modernità a cambiare la piazza del Sud ma la piazza del Sud a influenzare la modernità italiana provate a seguire le conversazioni in questo treno diretto a Napoli via Bologna Firenze e Roma sono esibizioni pubbliche piene di rituali e virtuosismi confidenze inattese e sorprendenti reticenze uno raggiunge subito una nota di intimità in Italia e parla di faccende personali così scriveva Stendhal e non aveva mai preso un Eurostar

Quarta parte

RIABILITAZIONE

Scrivere ha le sue leggi della prospettiva, della luce e dell'ombra, proprio come la pittura, o la musica. Se sei nato conoscendole, bene. Se no, imparale. Poi sistema le regole perché facciano al caso tuo.

Truman Capote

Sedici Semplici Suggerimenti

1. Avere qualcosa da dire
2. Dirlo
3. Dirlo brevemente
4. Non ridirlo. Se mai, rileggerlo

5. Scriverlo esatto
6. Scriverlo chiaro
7. Scriverlo in modo interessante
8. Scriverlo in italiano (*è più trendy, baby*)

9. Non calpestate i congiuntivi
10. Non gettate oggettive dal finestrino
11. Spegnete gli aggettivi, possono causare interferenze
12. Non date da mangiare alle maiuscole

13. Slacciate le metafore di sicurezza
14. In vista della citazione, rallentate
15. Evitate i colpi di sonno verbale
16. L'ultimo che esce, chiuda il periodo

Avere qualcosa da dire

Prima di mettersi a scrivere, occorre avere qualcosa da dire. Non ho scritto «sarebbe meglio», «è consigliabile», «è opportuno»: ho scritto «occorre». Se non si ha (ancora) nulla da dire, si aspetta. Per trenta secondi, tre minuti o tre anni: dipende.

Sembra ovvio. Non lo è. Spesso chi scrive si butta sulla tastiera o sul foglio, pensando: deciderò poi cosa dire. Altri hanno solo una vaga idea in testa. Strada facendo – sono convinti – tutto risulterà chiaro. È un errore, questo, che commettono giornalisti professionisti e romanzieri dilettanti (le colpe dei primi sono più gravi). Partono senza sapere dove vogliono andare. E, ovviamente, si perdono per strada.

Immaginate di lasciare Milano uscendo a caso dalla tangenziale; e poi di prendere le strade che càpitano. Chiamatelo vagabondaggio (ha i suoi meriti); non chiamatelo viaggio. Un viaggio ha una meta. Talvolta incerta, spesso provvisoria, quasi sempre modificabile. Ma se uno, da Milano, vuole andare a Brescia, deve dirigersi a est. È inutile partire a caso, ritrovarsi a Pavia ed essere costretti a tornare indietro.

Quando Alice domanda «In quale direzione devo andare adesso?», lo Stregatto le risponde in modo magistrale: «Dipende molto da dove vuoi arrivare».

Anche chi scrive, spesso, vive nel Paese delle Meraviglie. È bene che lo lasci in fretta, e si metta a ragionare. Avere qualcosa da dire è il primo passo: e senza un primo passo non si va da nessuna parte. Se è nella giusta direzione, tanto meglio. Cicerone riassumeva il concetto in quattro parole: «Rem tene; verba sequentur», conosci l'argomento, le parole seguiranno.

Certo, affinché le parole seguano in modo utile è necessario qualche passaggio ulteriore. La retorica antica, immutata da Aristotele a Quintiliano, può darci una mano. A diciannove anni – maturandi, prendete nota – lo stesso Cicerone, nel *De inventione oratoria* spiegava come articolare un discorso (ci tornerà sopra nel *De oratore*, opera citata fino al XIX secolo).

1. *inventio*   trovare buoni argomenti
2. *dispositio*   metterli in ordine
3. *elocutio*   scegliere parole ed espressioni efficaci
4. *actio*   esporre in modo interessante
5. *memoria*   ricorrere alla memoria (per recitarlo bene)

Nel *Business Writer's Handbook* (1997) un popolare manuale di scrittura americano, gli autori propongono:

1. *Preparation*
2. *Research*
3. *Organization*
4. *Draft*
5. *Revision*

Nel suo *Scrivere nell'era di Internet* (2001), Alessandro Lucchini elenca altre tecniche di scrittura:

Progetto	Redazione	Revisione
Pre-writing	*Free writing*	*Re-writing*
Plan	*Draft*	*Edit*

Ai ragazzi alle prese con un tema, e agli adulti impegnati a scrivere qualsiasi documento, suggerisco di adottare la Regola del P.O.R.C.O., più rustica ed efficace.

Pensa   (aspetta a scrivere: prima decidi cosa dire)
Organizza (elenca i punti da toccare)
Rigurgita (butta fuori, senza pensarci troppo)
Correggi (e rileggi con calma, almeno due volte)
Ometti   (togli tutto ciò che non è necessario)

In questo capitolo abbiamo visto il primo punto, lettera P. Adesso arriva l'O.R.C.O.

SADOQUIZ

Di cosa parla questa rubrica pubblicata sul supplemento «Nòva» del «Sole-24 Ore» nel gennaio 2007?

Non so. (Disagio di scrivere qui in lieve fuorisinc rispetto alla finta quasidiretta del «quotidiano». Gli «inserti» sono schegge di un «prima», supplemento di ritardo. Il mio deadline *vano* è lunedì notte/alba di martedì. Su questo crinale notturno cerco ala cieca, più accanito dei soccorritori, in una stanza d'albergo europea, notizie del Boeing indonesiano scomparso nel nulla da giorni. Ormai affidati, gli scampati improbabili e noi, al radar degli sciamani, in situazione mitica e biblica; e il nome della compagnia aerea, Adam Line, evoca l'apparire/sparire del genere umano. Verifico on line con macchinosa incompetenza, intanto dai tg di notte e aurora piovono nomi e titoli il cui senso evapora all'istante in perfetti anagrammi di presenti sempre diversi (stamane impazza dall'Italia *la strage di Erba*, pensi al rapporto apocalittico sull'effetto serra in Europa, all'erba del vicino sempre meno/più verde)... *(SEGUE)*

Dirlo

C'è un modo sicuro per evitare il panico della pagina (o della schermata) vuota: buttar giù la prima cosa che viene in mente. Caso e istinto producono buoni *incipit*, di solito. Non dovesse accadere, potete tagliare la prima frase più tardi. Spesso la seconda frase servirà allo scopo.

Se avete qualcosa da dire, ditelo. Può sembrare il più inutile, tra questi sedici suggerimenti: invece è fondamentale. Timidezza e timore spesso spingono chi scrive a non dire quello che vorrebbe. È la Sindrome del Parlar d'Altro, ben nota anche nei media.

Immaginiamo però che chi scrive abbia qualcosa da dire (1) e voglia dirlo (2). Deve dirlo, però, in un tempo ragionevole. È vero: le email e i temi scolastici non obbediscono alle regole di una cronaca giornalistica («la notizia in testa»). Resta un obbligo, tuttavia: chi legge deve capire subito di cosa stiamo parlando. Alcuni adottano invece una tecnica romanzesca, anzi giallistica. Si capisce tutto solo all'ultima riga. Ma chi riceve un'email di lavoro non è nella disposizione di spirito di chi legge Le Carré. Di solito, vuole sapere cosa volete da lui/da lei.

Il Procrastinatore è un sadomasochista. Punisce se stesso e fa soffrire gli altri. Quasi mai – ripeto – si tratta di una tecnica, destinata a creare aspettativa. I motivi per cui uno non dice le cose, scrivendo, sono altri. Per esempio, la cautela: atteggiamento comprensibile, ma snervante. Prima di arrivare alla sostanza (una protesta, una domanda, una richiesta, un'osservazione) lo scrivente spazia, gira, divaga. Rischiando di perdersi, e di perdere il lettore.

Prendiamo questa email ricevuta nella primavera 2007:

Carissimo Dott. Severgnini, le scrivo per comunicarLe la nascita dell'Istituto XY. I drammi che ci sono mi hanno portato ad agire proprio sull'essere umano: offrire formazione, consapevolezza e conoscenza a tutti gli utenti del sistema grazie a docenti esperti. Urge, è indispensabile, far conoscere le dinamiche comportamentali ai fruitori dei flussi [...]. È necessario sviluppare – dai giovanissimi agli anziani – cultura della Vita, di questo bene così prezioso. Spero che il Suo ammirevole impegno su questa tematica possa aiutare la nostra società [...]. Spero inoltre che mi possa contattare tramite il nostro sito, anche se dovesse decidere di non pubblicare questa lettera.

Mister X vuole che a) visiti il sito, b) mi metta in contatto con lui. Non poteva dirmelo subito? Così, per esempio:

Caro Dott. Severgnini, ho appena fondato l'Istituto Y. Ci occupiamo di X. Abbiamo un sito, www.ecc. Vuole buttarci un'occhiata, dare la notizia nel suo forum e, magari, mettersi in contatto con me? Se non le spiace, le anticipo un paio di cose... (SEGUE)

Di solito il motivo per cui chi scrive NON dice qualcosa è questo: non sa cosa dire (torniamo, in sostanza, al suggerimento n.1). Ernest Hemingway spiegava così i tempi della scrittura:

La gran cosa da fare è resistere e fare il nostro lavoro e vedere e udire e imparare e capire, e scrivere quando si sa qualcosa; e non prima; e, porco cane, non troppo dopo.

Riassumendo. Se anche non siete Hemingway, ma sapete cosa volete dire, ditelo. Porco cane.

MASOTEST

Questa la motivazione della squalifica di Adriano dopo Inter-Roma del 18 aprile 2007, secondo il giudice sportivo della Lega Calcio. Traducete riassumendo.

[...] la caduta al suolo del calciatore interista non è stata preceduta da alcun significativo contatto con il corpo del portiere avversario [...]. Pertanto, questo Giudice ritiene che l'errore in cui è incorso il direttore di gara sia stato determinato dal consapevole comportamento dell'Adriano che, come le immagini documentano, aveva preordinato la simulazione, trascinando sul manto erboso il piede sinistro, alla ricerca di un contatto con il corpo del portiere, in concreto non ottenuto.

Dirlo brevemente

Scrivere è come scolpire, bisogna togliere. È un esercizio faticoso, e qualcuno preferisce evitarlo. Ecco spiegata la massa di parole inutili a spasso per il sistema solare.

Sono molti gli autori che hanno insistito su questo punto. Il motto «Scusa per questa lunga lettera: sarebbe stata più breve, avessi avuto tempo» è stato attribuito a Voltaire, Goethe, Mark Twain e a mezza dozzina di altri scrittori. Meno citato – ma forse più utile – è il filosofo tedesco Theodor W. Adorno. Nei suoi *Minima moralia* (1951) scrive: «Non essere mai avari nelle cancellature. La lunghezza di un testo non conta, e il timore di non aver scritto abbastanza è puerile. Nulla va ritenuto degno di esistere perché c'è già, perché è già stato scritto».

È così. Chi scrive sa bene che tra la prima versione e quella definitiva un testo, quasi sempre, si asciuga (se si allunga, non avevate le idee chiare: tornate al punto 1). Eppure tutti tendiamo a opporre resistenza, davanti a un taglio. Prendiamo l'attacco di questo capitolo. La prima stesura recitava così:

VERSIONE A

La scrittura, per molti versi, ricorda la scultura. È meglio togliere piuttosto che aggiungere. Ma questo è un esercizio piuttosto faticoso, notoriamente, e molti preferiscono evitarlo, appena possibile. Ma in questo modo contribuiscono alla massa di parole inutili che circolano per il nostro sistema solare. La cometa prolissa, potremmo chiamarla.

Poi è diventato:

VERSIONE B

La scrittura ricorda la scultura. Meglio togliere che aggiungere. Ma è un esercizio faticoso, e qualcuno preferisce evitarlo. Ecco spiegata la massa di parole inutili a spasso per il nostro sistema solare. La cometa prolissa, potremmo chiamarla.

Quindi:

VERSIONE C

Scrivere è come scolpire. Meglio togliere che aggiungere. Ma è un esercizio faticoso, e qualcuno preferisce evitarlo. Così contribuisce alla massa di parole inutili a spasso per il nostro sistema solare. La cometa prolissa?

Infine:

VERSIONE D

Scrivere è come scolpire: bisogna togliere. Poiché è un esercizio faticoso, qualcuno preferisce evitarlo. Ecco spiegata la massa di parole inutili a spasso per il sistema solare.

Siamo scesi da 50 parole (versione A) a 37 parole (B), poi a 34 parole (C) e abbiamo chiuso a 27 parole (D). Cosa abbiamo dimostrato? Questo: il testo, dimezzato, è più efficace (aggiungo: non contiene neppure un *che*, e questa è sempre una soddisfazione).

Chi scrive deve ricordare sempre: tutto quello che non è indispensabile, è DANNOSO. Non irrilevante, o inutile. Proprio dannoso, nocivo, controproducente.

Tagliate, togliete, accorciate, riducete finché è possibile: chi legge ve ne sarà grato. Ricordate che i Dieci Comandamenti sono costituiti da 49 parole, e dentro c'è tutto quel che serve.

Riprendiamo il nostro esempio. La prima versione (A) conteneva diversi vocaboli inutili, o comunque non indispensabili.

- *per molti versi* non è solo inutile: è inesatto. Scrivere *è* come scolpire.
- *piuttosto* (come *un po'*) è un segno di inutile prudenza. L'esercizio è faticoso o non è faticoso. Punto.
- *notoriamente* è pleonastico (gli avverbi in *-mente*, oltretutto, sono spesso pedanti).
- *appena possibile* esprime un concetto ovvio.
- *in questo modo* (tre parole, 12 caratteri) è più lungo di *così* (una parola, 4 caratteri). Ma noi abbiamo fatto di meglio: *Ecco spiegata la massa di parole inutili* è più rapido e incisivo di *Ma in questo modo contribuiscono alla massa di parole inutili*.

Ricordate: scriver corto non significa necessariamente scriver bene. Diciamo che, scegliendo la brevità, si corrono meno rischi. Vedere la pagina risalire, scrivendo col computer, deve diventare un piacere. Gettata la zavorra, il testo decolla. Non necessariamente verso il premio Nobel per la letteratura. Basta che si stacchi da terra, e vada da qualche parte.

La prolissità, quasi sempre, porta a essere inefficaci. Prendiamo una lettera di ringraziamento, un messaggio di scuse, un biglietto di congratulazioni e un altro di condoglianze. Quattro testi standard, di quelli che mettono in crisi le famiglie: papà mastica la biro, mamma s'innervosisce, nonna propone formule barocche, i figli si divertono ma non possono dirlo.

La prima stesura è opera di Jeanne, la mia assistente, che giura di non essersi impegnata affatto, per risultare confusa (non le credo: penso sia stato un esercizio di bravura). Subito dopo, la mia versione. Non ho fatto altro che accorciare, ripulire e semplificare.

RINGRAZIAMENTI

Prima:

Egregio Dott. Neri,
le volevo dire che abbiamo ricevuto il suo bellissimo regalo e volevamo ringraziarla per il gentilissimo gesto che ci ha fatto molto piacere. È arrivato del tutto inaspettato e perciò l'abbiamo gradito ancora di più! Ringraziandola ancora, la salutiamo cordialmente.

Dopo:

Gentile dottor Neri,
grazie per il bel regalo – inatteso, perciò ancora più gradito. Ci ha fatto davvero piacere riceverlo. Un cordiale saluto,

SCUSE

Prima:

Gentile Signor Rossi,
Le scrivo a nome del mio superiore per dirLe che la sua gentile richiesta è arrivata e che la ringrazia molto ma con

grande dispiacere non può accettare. In questo periodo ha moltissimo lavoro e non può davvero prendere altri impegni (oltre ai numerosi viaggi in programma). Spera nella sua comprensione, magari la prossima volta potrà accontentarla. Grazie e cordiali saluti.

Dopo:

Caro Signor Rossi,
le scrivo a nome di Beppe Severgnini, che la ringrazia, ma teme di non poter accettare l'invito. In questo periodo, lavoro e viaggi lo impegnano molto. Sperando nella sua comprensione, la salutiamo. Alla prossima, spero.

CONGRATULAZIONI

Prima:

Gentile Bianca,
ho saputo della tua promozione ad altro incarico e volevo porgerti i miei più sinceri complimenti e i sensi della mia stima. Dopo anni di duro lavoro te lo meriti proprio! Mi congratulo con te di questo successo professionale.

Dopo:

Cara Bianca,
ho saputo della promozione: brava, complimenti! Te lo meriti. Sono propria contenta per te.

CONDOGLIANZE

Prima:

Cari Vera e Velio Verdi,
ho saputo solo oggi della perdita della vostra amata zia Vero-

nica. Voglio farvi sapere che vi sono particolarmente vicina in questo momento di lutto e vi porgo le mie più sentite condoglianze. Resto a disposizione per qualsivoglia necessità.

Dopo:

Cari Vera e Velio,
ho saputo della zia Veronica: mi dispiace. Vi sono vicina, e vi abbraccio. Se posso esservi utile, sapete dove trovarmi.

MASOTEST

Leggete con attenzione le tre risposte qui sotto:

COME DECLINARE UN INVITO

Gentile.........,
grazie della stima, ma temo di doverla deludere.
Sono reduce da un periodo intenso a causa di (*in-digestione, licenziamento, divorzio, raccolta di firme per referendum, giro del mondo in barca a vela*) e preferisco perciò rinunciare alle nuove proposte di lavoro, per qualche tempo. Altrimenti come potrei stare con mio figlio (*mia moglie, la mia amante thailandese, il mio gatto Max*) e pensare a un altro (*figlio, viaggio, esaurimento nervoso, scultura lignea*)? Spero nella sua comprensione, e la saluto.

COME RIFIUTARE PROPOSTE DI LAVORO

Caro.........,
la richiesta della vostra associazione è lusinghiera. Ma le monografie sull'omosessualità delle farfalle sono tra le cose che ho felicemente eliminato dalla mia vita (insieme a prefazioni, comitati, collezioni, petizioni, giurie, onorificenze, lauree *honoris causa*, Lions e Rotary, golf, ballo sudamericano, politica, gioco d'azzardo, superalcolici e adulterio). È un modo di risparmiare tempo e serenità. Spero nella sua comprensione, e auguro un grande successo alla vostra iniziativa. Lunga vita all'Associazione «Free Sex for Butterflies»! Un cordiale saluto,

COME DIFENDERSI DA AMICI AFFETTUOSI

Carissimi,
è sempre un piacere sentirvi. L'idea di passare quattro giorni sulle montagne di Dorga (Bergamo) indossando soltanto biancheria intima mi sembra entusiasmante. Mi ricorda i vecchi tempi della scuola, quand'eravamo felici e incoscienti (ricordate quando abbiamo chiuso la prof d'italiano nella macchina del caffè, e l'abbiamo costretta ad imitare il rumore del cappuccino?). Ma i tempi sono cambiati. Soffro di reumatismi, lombosciatalgie, cifosi e un principio di gotta. Una notte tra le montagne potrebbe essermi fatale. Per questo mia moglie mi spinge ad accettare il vostro invito: ma io non sono mica scemo. Con l'affetto di sempre, vi saluto.

Ora preparate una breve risposta (max 500 caratteri) da usare in altri momenti topici della vita moderna.

A) Invito all'annuale riunione degli ex alunni «Asilo Amici nel Sole»
B) Richiesta di contributo finanziario per «Oil Eden», la casa di riposo degli ex-petrolieri
C) Proposta di ospitare per tre settimane Attila, il labrador degli amici in partenza per il Cile

Non ridirlo. Se mai, rileggerlo

C'è una parola che quarant'anni fa scivolava nei grembiuli scolastici e rimbalzava sui banchi color acquamarina, e alla fine s'è conficcata nelle nostre teste: *rileggere*. Le maestre c'insegnavano a scrivere, ci chiedevano di leggere, ma c'imponevano di rileggere. Oggi pochi rileggono. I bambini d'allora, conquistati una tastiera e un indirizzo email, ritengono che la velocità e la quantità siano così importanti da dover sacrificare tutto. Anche la decenza e la chiarezza.

Se ricevo

Ho le5ttom le sua propsost3 sul Corrierere circala vipelenza nel calcio e sono sinceramente stpito dal suo punto di vista. Ma chi credere di essere? maria Montesori o mandrake?

mi chiedo: il mittente ha bevuto tre Negroni, prima di mettersi al computer? O invece è rimasto vittima di un violento attacco gastrointestinale e, mentre s'allontanava ululando verso il bagno, il dito indice è caduto sul tasto INVIO? Altrimenti – spero, credo, mi auguro – avrebbe riletto, e corretto. Il parere sarebbe rimasto irritante, ma almeno avrei capito subito.

Ho letto le sue proposte sul «Corriere» circa la violenza nel calcio, e sono sinceramente stupito dal suo punto di vista. Ma chi crede di essere? Maria Montessori o Mandrake?

Per correggere questo testo occorrono trenta secondi. Il mittente, evidentemente, aveva di meglio da fare.

La non-rilettura ha conseguenze. È raro che renda il testo incomprensibile, ma è chiaro che porta a correre rischi. Qualcuno pensa che il correttore automatico risolva tutto, ma non è vero. Come il dizionario T9 dei cellulari, s'accontenta che una parola abbia senso compiuto. Esempio innocuo, ma istruttivo. Mentre preparavo questo libro, ho ricevuto questa email dal responsabile della saggistica Rizzoli:

Ottimo. Grazie Beppe. Ne stavo giusto parlando con Massimo (della copertina). Aspettavo anche io di dirti qualcosa riguardo ai disegni. Bisognerebbe vedere come si integrano nel testo e nella veste grafica del volume (che sarà già molto mossa rispetto a qualunque altro libro). Abbiamo forse tempo per praline. Ciao, Carlo

Praline? Un modo per addolcire l'autore? Una nuova consuetudine nel lavoro editoriale? Ovviamente no: Carlo voleva *parlarne*. Ha scritto *praline* e il correttore automatico, che non distingue tra editoria e pasticceria, ha dato via libera.

Un piccolo errore come questo va perdonato. Due errori possono dipendere dalla fretta, tre da un momento particolare (amori difficili, cattiva digestione). Cinque errori in una email, invece, sono prova di menefreghismo. È come presentarsi in pubblico coi calzini bucati (probabilmente, l'ex presidente della Banca Mondiale Paul Wolfowitz è uno che non rilegge le email).

So cosa state pensando: e gli sms, allora? *Ke ne sai? 6 div.to scemo? Kiama kiss kiss.* Risposta: un quindicenne che inviasse messaggi ortograficamente impeccabili non troverebbe mai la ragazza. Questo mi sembra un buon motivo per concedergli una dispensa. Ma le email di oggi sono le lettere di ieri: strumenti adulti, ormai. Ne spediamo di più, certo, ma questa non è una ragione sufficiente per lanciare schifezze nel cyberspazio.

***

Copia e incolla! Non so se ci avete mai pensato: ma sono due imperativi. COPIA! INCOLLA! E rompi le scatole ai poveretti che devono leggerti.

L'enorme facilità di riproduzione sta provocando disastri: non solo nell'editoria – sarebbe il meno – ma nella preparazione di un discorso, nella redazione di una tesi di laurea, nei temi scolastici, nella corrispondenza. Quando si scriveva a mano, le lettere erano asciutte; oggi molte email sono obese. Al *Kopinkollator* non sembra vero di poter ripetere, riportare e riciclare. I suoi messaggi hanno corpaccioni impressionanti, e di solito iniziano con le parole: «Sarò breve...».

Breve, un corno. Il «copia & incolla» è una droga leggera; e, come tutti gli stupefacenti, provoca dipendenza. Evidenziare, copiare, incollare: non si tratta di una semplice operazione redazionale, ma di una tentazione. Se non ricicla quel vecchio testo, il *Kopinkollator* va in crisi d'astinenza. Oppure: andare su internet, trovare ciò che vuole, copiarlo, incollarlo e spacciarlo per suo! Una goduria.

Sia chiaro: il plagio è sempre stato di moda. Ma almeno richiedeva impegno. Oggi è uno scherzo, una bazzecola, un gioco da bambini. Ricordo le prime ricerche, alle scuole medie. Copiavamo pure noi, ma almeno facevamo fatica. Tirar giù l'*Enciclopedia dei Ragazzi* dall'armadio; cercare nell'indice; trovare la pagina; scegliere un testo plausibile (né troppo banale né troppo sofisticato); copiarlo a mano; inserire alcune imperfezioni per nascondere il plagio. Noi credevamo d'essere furbi, ma i professori erano più furbi di noi: avevano capito che quell'esercizio era comunque utile. Mai avrei fatto conoscenza con l'agricoltura del Portogallo, se non l'avessi copiata dall'*Enciclopedia dei Ragazzi* (e da *Conoscere*, di proprietà del compagno di banco).

Oggi i *Kopinkollators* – dall'adolescenza fino alla terza età, passando per l'università e il mondo del lavoro – sono una minaccia per l'umanità che legge. I concetti si ripetono, i paragrafi si moltiplicano, i testi s'allungano. Vi suggerisco un esercizio: prendete l'interminabile email dell'amica Vera Lagna e conservate l'essenziale. Vi accorgerete che poche frasi bastano. Il resto è orpello, decoro, fronzolo: spesso riciclato. Per fortuna, ogni tanto interviene il fato. M'è capitato di ricevere messaggi in cui mi augurano «Buon Natale!» (in aprile), mi chiamano «Gentile Signora» o mi chiedono informazioni «sulla mia attività a Roma» (vivo a Crema, lavoro a Milano). Allora capisco: il mittente è un *Kopinkollator*. E io, come Terminator, lo *kancello*.

Leggete questo messaggio, spedito al forum «Italians» nel febbraio 2007, e caritatevolmente non pubblicato.

Caro Beppe, io penso che c'ècome una situzzione di imposibilità di capire le ragioni del perchè edel perccome i nosti giovani perdono in cosi tanti le loro vite sule strade italiane. Secondo me è anhe il fatto che i gentori nn danno al dovuta attenzione ai loro probblemi di crescita e della lascività della loro educaione. sE LOro vedono in TV tanti spot che dicono che il sabbato sera bisogna «sballare» percè è figo, non credo che senza un'impegno appunto dei genitori loro possono capire che tutto qesto va alla fine a loro danno. Ci vuole ipegno di tutti, della polizi, dei politici, deelle famiglie. Ciao, Paolo M.

Qual è la percentuale di parole scorrette?

A) 10%
B) 18%
C) 26%

Scriverlo esatto

L'acqua? Nessun problema. Ma questo acquitrino di peri-
feria è inquietante. Il signor Quid scuote gli stivali,
guarda i palazzi squadrati contro il cielo quasi nero. An-
goli acuti, nuvole in quota. Equilibrio iniquo, quieta
aquiescenza. Quid si sente, insieme, innocuo e cospicuo.
Un quesito, vacuo: tornare o andare avanti? La ragazza
dai capelli color liquirizia sta aspettando. La prospettiva,
vagamente promiscua, gli mette l'anima a soqquadro.
Uno sconquasso? No. Una quiscuilia? Nemmeno. Ma la
freddezza acquisita è svanita. Il cuore scuoiato da due
occhi scuri. Addio quiete.

L'avventura del signor Quid contiene due errori di ortografia: trovateli (la soluzione, come sempre, alla fine del
volume). Non dite «troppo facile!»: potreste sbagliare.
Non dite «troppo difficile»: non è vero, vostra figlia li
scova subito (se è un maschio, è meno probabile). Soprattutto, non dite: «Che importanza hanno queste
cose?».

Ve lo dico io, che importanza hanno: poca, a patto di

saperle. L'ortografia, come l'eleganza e l'educazione, è una qualità che non si compra, ma s'impara. Ecco perché è preziosa.

L'Associazione Direttori Risorse Umane sostiene che il 47% dei curriculum contiene errori di questo tipo. Non dice, ma lascia capire, che il restante 53% dei candidati ha più probabilità di trovare un lavoro. Non è meno fastidiosa – lo abbiamo appena visto – la sciatteria privata. Tre errori in un'email valgono un dito nel naso: si può fare, ma non sta bene (i correttori automatici? È come saper nuotare col salvagente. Se non c'è, s'affonda).

È utile ricordare che le nostre difficoltà ortografiche derivano da una circostanza: in italiano non esiste corrispondenza perfetta tra suoni e segni (in inglese, come sapete, va molto peggio). Per esempio, il gruppo *gl* in *figlio negligente* ha un suono diverso. Lo stesso vale per la *i*: la seconda sillaba di *pace* e *specie* oggi si pronuncia nello stesso modo. Ma quella *i* grafica esiste. Credo durerà poco. Ma, per adesso, non si può omettere.

In queste *Lezioni semiserie* non abbiamo spazio (né voglia) di elencare le molte trappole dell'ortografia (= scrittura corretta). Ci limiteremo a risolvere alcuni tra i dubbi più comuni, con l'aiuto di qualche perfido esercizio, come quello proposto all'inizio.

LA CRUDELE Q

La lettera *q* sostituisce la *c* prima di *ua, ue, uo, ui* (se l'accento non cade sulla *u*, come in *cui*). Ma alcune parole, e i loro derivati, vogliono la *c*:

cospicuo
cuoio
cuore

cuoco
innocuo
percuotere
perspicuo
proficuo
promiscuo
riscuotere
scuola
scuotere
vacuo

Sono scritti col *cq* tutti i derivati di *acqua* e dei seguenti vocaboli:

acquiescente
acquietare
acquisire
acquistare

LA PERFIDA I

Tempo fa ho scritto che avrei girato un compenso in *beneficienza*, con la *i*. Rapida come un falco, una lettrice mi ha beccato: «Ahi, ahi! *Beneficenza* si scrive SENZA *i*!». Vero, grazie: anche per il garbo. La mia maestra (Ida Prola) sarebbe stata meno tenera.

Altre parole che non vogliono la *i*:

acquiescenza
convalescenza
innocenza
riconoscenza

Si scrivono invece con la *i*:

cieco (ma il sostantivo è *cecità*)
cielo (ma l'aggettivo è *celeste*)
coscienza, coscienzioso
igiene, igienico
pasticciere (ma *pasticceria*)
scienza, scienziato, scientifico
società, socievole
sufficiente, insufficiente, deficiente, efficiente
usciere

Ricordiamo che le parole in -*scia*, al plurale, perdono la *i*.
Quindi:

Ho sulle cosce mosce delle fasce a strisce.

E nei plurali delle parole in -*cia* e -*gia*, la *i* si conserva o si
perde? Be', signora maestra: se prima della *c* e della *g* c'è
una vocale, la *i* rimane; se c'è una consonante, la *i* cade.

Le piogge danneggiano arance e ciliegie.

Nei verbi in -*ciare* e -*giare* la *i* scompare davanti alle desi-
nenze con la *e*:

Bacerò tutte le ragazze che corteggerai.

Di norma, dopo il gruppo *gn* non ci vuole la *i* davanti alle
vocali *a, e, o, u*. A meno che la *i* faccia parte della desi-
nenza di un verbo.

L'allenatore ai giocatori: «Segnate *almeno tre gol, o miei*
campioni!» *(verbo all'imperativo o all'indicativo).*

L'allenatore ai giocatori: «Spero che segniate *almeno un*
gol, mammalucchi!» *(verbo al congiuntivo).*

Questo risolve anche un altro dubbio:

sognamo o *sogniamo*?
c'impegnamo o *c'impegniamo*?
accompagnamo o *accompagniamo*?

Consiglio: manteniamo la *i* perché fa parte del suffisso della prima persona plurale (*-iamo*). Quindi, se am-*iamo* una ragazza, la accompagn-*iamo* a casa. Però, anche se la *accompagnamo* (senza *i*), va bene comunque. L'importante è non mandarla in giro di notte da sola.

Proseguiamo. Quando due *i* si incontrano, si fondono insieme – a meno che l'accento non cada su una delle due. Un dirigente Telecom, per esempio, avrebbe potuto (dovuto?) dire:

Voglio che studino, non che spiino!

I nomi in *-io* al plurale? Se la *i* ha l'accento, la prima vocale si conserva:

Tra vocii e rinvii, i più restii pensarono agli addii.

In caso contrario, basta una sola *i*:

Dopo tanti vizi e fastidi, è tempo di cambi negli stadi.

In passato, in questi casi, si usava la *j* (*vizj*, *studj* ecc.). Ma voi non fatelo, a meno che indossiate ghette e redingote.

A. Trova i due errori.

Nel favo al centro c'era troppa cera
e non c'entrava alcuna cosa viva.
Un'ape a striscie restò fuori la sera
e cercò una soluzione alternativa.
Davvero non riusciva a darsi pace
davanti a quello spazio insufficente.
Basta succhiare tutte quelle acacie!
Disse alla sorella più indecente.

IL TORMENTO DELL'ACCENTO

Alcuni monosillabi prendono l'accento per evitare confusione tra omografi (vocaboli scritti nello stesso modo, con significato diverso).

da preposizione
dà presente indicativo, verbo *dare*

li e *la* pronomi e articoli
lì e *là* avverbi di luogo

ne avverbio e pronome
né congiunzione

se congiunzione
sé pronome (ma *se stesso* si può scrivere senza)

si pronome
sì avverbio (affermazione)

te pronome
tè nome (bevanda!)

Do e *fa* non vogliono accento, perché rischiano d'essere confusi solo con le note musicali (poco usate nel discorso).

L'accento è obbligatorio nelle parole tronche di due o più sillabe. Quindi si scrive *Oltrepò* (anche se i colleghi della «Provincia Pavese» non sono d'accordo!).

MASOTEST

B. Trova l'errore.

Disse il re:
chi fa da sé
fa per tre!
Si stupì il delfino,
grasso ma carino,
lì su un baldacchino.
Ma và là, papà!
Da quando in qua,
lavora Sua Maestà?

A Roma se ne usano troppe, a Milano troppo poche (la Sardegna è un caso a parte: hanno un crepitio simpatico e polemico, come dimostra Francesco Cossiga). Ecco i dubbi più comuni riguardo alle doppie. Per il resto, fidatevi dell'etimologia, dell'orecchio e del vocabolario.

B doppia: *abbottonare*
B semplice: *allibito, abietto, obiettivo* (ma *abbietto* e *obbiettivo* sono ammessi)

C doppia: *accessibile, affaccendato, eccellere, essiccare*
C semplice: *birichino, sfracellato, briciola*

D doppia: *aneddotico, redditizio, contraddittorio*
D semplice: *adottare*

F doppia: *effettuare*
F semplice: *proferire* (nel senso di *pronunciare*)

G doppia: *echeggiare, soggiacere*
G semplice: *legittimo, grattugiare*

Sostantivi che terminano in *-aggine* o *-agine*: raddoppiano solo quelli che, tolta la terminazione, lasciano una parola di senso compiuto (quindi *coglionaggine, scempiaggine*; ma *cartilagine, immagine, indagine*).

L doppia: *allibito, palliativo*
L semplice: *celere, accelerare*

M doppia: *immissione, immagine* (*Imagine* è di John Lennon: rispettiamola)
M semplice: *intromettere*

N doppia: *millennio, cannocchiale, colonnello*
N semplice: *millenario*

P doppia: *pressappoco, suppletivo*
P semplice: *capezzale*

Q doppia: esiste solo *soqquadro*

R doppia: *esterrefatto, scorrazzare, emorragia*
R semplice: *corazziere*

T doppia: *contraddittorio, ciottolo*
T semplice: *aneddotico, suppletivo, stratagemma*

V doppia: *avvenente, avventizio*
V semplice: *avallare*

Z doppia: *grezzo, corazza, impazzito* (e in genere quando la *z* si trova tra due vocali. Alcune parole esotiche come *azalea, azimut, bazar* e *ozono* vogliono però una sola *z*)
Z semplice: *abbreviazione,* e tutti i sostantivi che finiscono con vocale + *-zione* (o i verbi che finiscono con vocale + *-zionare*). In genere davanti ai dittonghi *ia, ie, io, iu*

Le parole accentate sull'ultima sillaba raddoppiano nei composti: *caffellatte* (anche se tutti scrivono *caffelatte*)

Contra- e *sopra-* raddoppiano: *contraffare, contraccambio, soprattutto, sovrapporre*

Tra- e *intra-* di solito non raddoppiano: *tralasciare, travasare, trapelare* (ma *trattenere!*); *intraprendere, intravedere* (ma *intrattenere!*)

Fra e *infra-* spesso raddoppiano: *frattempo, frattanto, frapporre* (ma *fracassare!*); *inframmezzare* (ma *infradito!*)

Re- e *-ri* non raddoppiano: *repellere, riportare* ecc.

Ra- raddoppia sempre: *raccordare, rammentare* e – appunto – *raddoppiare*

Bene: non è tutto, ma è già qualcosa. Scrivere esatto deve diventare una sfida, e un motivo d'orgoglio. A precise parole, di solito, corrispondono pensieri proficui.

A proposito: *proficuo* si scrive così?

C. Trova i due errori d'ortografia.

«Questa riforma ha creato per sua costituzione forti dissidi.» È così che il professore A.G., ordinario di Diritto del lavoro all'università di Palermo, ha aperto il suo intervento al convegno sulla riforma Biagi, organizzato dall'Inps nella sede del rettorato. «Si chiama Biagi, ma non risponde alle indicazioni del collega, contenute invece nello Statuto dei lavoratori, presentato nel '97 e nel cosiddetto libro bianco del 2001. Il provvedimento presenta una serie di difficoltà interpretative, che nascono dalla redazione del testo», ha continuato G., che ha presentato una brevissima storia della riforma. «Si tratta di un testo faragginoso e difficile, ogni comma presenta difficoltà interpretative e spesso anticostituzionali.»

da «Ateneo Palermitano», novembre 2003
www.ateneonline-aol.it

Scriverlo chiaro

Se costringete il lettore a rileggere, avete già perso. Se vi succede di pensare – peggio: di dire – «Non hai capito!», vergognatevi. La colpa non è MAI di chi non capisce, ma SEMPRE di chi (non) si spiega. O si spiega male.

Gli equivoci, come le carie, vanno prevenuti: quando danno fastidio, è tardi. Chi è il miglior giudice della chiarezza di un testo? Chi l'ha scritto, ovviamente. Un passaggio vi sembra oscuro? Provate a chiarirlo, poi rileggete. Ancora poco chiaro? Cancellate e ricominciate. Se avete dubbi voi, figuriamoci chi legge.

La facilità di traduzione è, spesso, un buon indicatore. Un testo che si traduce facilmente in un'altra lingua è chiaro; in caso contrario, non lo è. Molti narratori italiani fanno sudare freddo i loro traduttori; i nostri uomini politici – con poche eccezioni – mettono in difficoltà gli interpreti.

I media anglosassoni hanno un'idolatria per la chiarezza. Lo *Style Book* dell'«Economist», scritto da Johnny Grimond nel 1986 e da allora ristampato in continuazione, esordisce così: «Il primo requisito di questo giornale: essere facilmente comprensibile. La chiarezza di scrittura, di solito, segue la chiarezza di pensiero». Indro Montanelli raccontava che, durante l'apprendistato presso l'Associated Press di Parigi negli anni Trenta, il caporedattore ammoniva: «Devi farti capire anche dal lattaio dell'Ohio!». Per carenza di lattai, e per questioni di distanza geografica, possiamo aggiornare il monito: dobbiamo farci capire dalla valletta di Barletta e dal tronista di Trento. Non è facile, ma bisogna provare.

In Italia qualcuno confonde la chiarezza col semplicismo. Si sente più sicuro al riparo di una foresta di subordinate, dietro periodi cespugliosi e oscuri. In molti ambienti professionali – dalla critica d'arte al diritto, dalla medicina alla finanza – la trasparenza viene considerata riprovevole, in quanto segno di povertà intellettuale. Molti usano il linguaggio come uno scudo a difesa della casta; o come una cortina fumogena, utile a nascondere qualcosa.

La burocrazia italiana, a lungo primatista indiscussa della specialità, se n'è accorta e, a onor del vero, qualche passo avanti l'ha fatto. Nel 1997 il Dipartimento della Funzione Pubblica ha prodotto un *Manuale di stile. Strumenti per semplificare il linguaggio delle amministrazioni pubbliche* (curato da Alfredo Fioritto). L'indice è lodevole, e ne riportiamo la parte centrale:

SINTASSI

Scrivere frasi brevi
Scrivere frasi semplici e lineari
Scrivere con verbi di forma attiva
Specificare sempre il soggetto
Scrivere frasi di forma affermativa
Preferire, se possibile, modi e tempi verbali semplici

LESSICO

Usare parole comuni
Usare parole concrete e dirette
Usare pochi termini tecnico-specialistici
Usare poche sigle e abbreviazioni

Resta da capire come la Commissione parlamentare del Senato per la semplificazione della legislazione, riunita martedì 28 novembre 2006 in seconda seduta, abbia potuto riferire così dei suoi lavori:

Il Presidente – stante l'assenza del numero legale per deliberare in ordine allo schema di decreto del Presidente del Consiglio dei Ministri, recante la rideterminazione delle risorse da attribuire dallo Stato alla Regione Abruzzo a seguito delle modifiche intervenute nella classificazione della rete stradale di interesse nazionale (n. 40) – rileva l'opportunità di chiarire preliminarmente che la Commissione è stata chiamata ad esprimere un parere, che, ai sensi dell'articolo 7 della legge 15 marzo 1997, n. 59, era a suo tempo affidato alla Commissione parlamentare per la riforma amministrativa, e che ora, l'articolo 14, comma 21, della legge 28 novembre 2005, n. 246, assegna alla Commissione parlamentare per la semplificazione della legislazione. Dopo aver esposto un breve *excursus* delle normative che hanno preceduto l'emanazione dello schema predetto, fa presente che si tratta in sostanza di un atto dovuto sul quale sono stati acquisiti i prescritti pareri favorevoli della Regione interessata, della Conferenza unificata e dei Ministri competenti. *(SEGUE)*

Un Fondo Nazionale Pensione Complementare pubblica una «nota informativa per i potenziali aderenti» (depositata il 22.12.2006). Nel testo si trovano le seguenti espressioni e sigle:

Age-Shifting
Asset Allocation
Benchmark
Capital gain
Capitalizzazione individuale
Clearing House
Coefficienti di trasformazione
Commissione di gestione
Commissione di performance
Contribuzione definita
Curva dei tassi
Derivati
Deviazione standard
Diversificazione
Duration
Equity
Etf (exchange traded funds)
Euribor (Euro Interbank Offered Rate)
Futures
Fondi Armonizzati

Growth
Indici Citigroup
Indici Lehman
Indici MSCI
Information Ratio
ISIN
ISVAP
Market Timing
Monocomparto
Multicomparto
Obbligazione corporate
OICR
Posizione individuale/ Montante
Rating
SGR
SICAV
Stock Picking
Switch
Tasso tecnico
Tavole RG48
TEV (tracking error volatility)

A chi è rivolta la «nota informativa»?

A) Personale dell'Università Luigi Bocconi
B) Residenti esteri titolari di *stock-options*
C) Clienti di Intesa Private Banking
D) Promotori Finanziari Agenzie Gruppo Allianz
E) Lavoratori dell'industria metalmeccanica

Scriverlo in modo interessante

Spiegava Luigi Barzini jr alla figlia Ludina, allora giornalista esordiente: «Il mio ideale è l'articolo scritto in modo che leghi il lettore, il quale deve essere perfettamente inconscio dello stile o della prosa, ma deve essere interessato ad arrivare in fondo».

Impeccabile. Il lettore ci può mollare in qualsiasi momento. Se ha in mano un giornale può sbadigliare e metterlo giù. Se è un conoscente può cancellare l'email (se è un amico fingerà di averla letta). Se è un insegnante può prendere la biro rossa con un'espressione vendicativa negli occhi.

Chi scrive è al servizio di chi legge; chi legge ha potere assoluto su chi scrive. Qualunque espediente è legittimo, pur di sedurre il lettore. Il ritmo, l'ironia, la trama, la passione, l'urgenza; perfino la saggezza, miracolosamente, può farsi strada dentro un'email e sfondare la barriera del disinteresse. L'importante è ricordare una cosa: l'attenzione, come la stima, non si può pretendere. Bisogna conquistarsela.

Come? Quarant'anni dopo il primo tema, trentacinque

dopo le prime lettere, trenta dopo i primi diari di viaggio, ventotto dopo il primo articolo, diciotto dopo il primo libro, consiglio questo:

SIATE EFFICACI Ovvero: imparate a ottenere l'effetto che volete. Se siete capaci, in dieci righe, di trasmettere gioia, oppure tristezza, oppure ironia, oppure indifferenza, oppure sorpresa – allora sapete scrivere.

SIATE CONCRETI Scrivere non vuol dire sussurrare, alludere o mugugnare: vuol dire comunicare. Nel suo libro *Farsi capire* (2000), Annamaria Testa sostiene che la differenza è la stessa che corre fra «tirare freccette» e «vincere bamboline». Non tutte le freccette vincono bamboline; non tutti i testi riescono a comunicare qualcosa.

SIATE PRECISI La scrittura è selezione e precisazione. E deve avvenire nella testa di chi scrive. Ricordate Albert Camus, citato nell'epigrafe della prima parte:

> Un cattivo scrittore è chi si esprime tenendo conto di un contesto interiore che il lettore non può conoscere. Per questa via l'autore mediocre è portato a dire tutto quello che gli piace. La grande regola sta invece nel dimenticarsi in parte, a favore di un'espressione comunicabile. Questo non può avvenire senza sacrifici.

Sacrificio vuol dire:

- evitare un concetto se non è sufficientemente chiaro
- evitare di accumulare idee che confondono il lettore
- evitare formule sintattiche inutilmente complesse

Scrivere qualcosa significa rinunciare alle altre cose possibili. Prendere una strada, e ignorare le altre quattro che partono dalla rotatoria. C'è però chi non sa scegliere, e vorrebbe prendere cinque direzioni contemporaneamente. Risultato: non va da nessuna parte.

SIATE IRONICI (SE VI RIESCE) La cultura italiana diffida dell'ironia: io vi invito a diffidare della cultura italiana.

L'ironia è una musica utile: quasi tutti la sentono, pochi la sanno suonare. Non si può insegnare, ma si apprende; leggendo autori ironici, per esempio. Uno di loro, Giorgio Manganelli, ha scritto che «l'ironia riesce a cogliere di spalle gli dèi» (*Letteratura come menzogna*, 1967). L'immagine è suggestiva perché illustra la microscopica sorpresa, il momentaneo spiazzamento, la lieve vertigine prodotta dall'ironia (non dal sarcasmo, che è ironia inacidita).

Come si ottiene, l'effetto ironico? Per spiegarlo avrei bisogno di un altro libro (e probabilmente fallirei nell'impresa). Posso però dire che un paio di figure retoriche, spesso, aiutano.

La prima è l'ossimoro, che consiste nell'accostamento di parole che esprimono concetti contrari (dal greco *oxymō ron*, composto di *oxýs*, acuto e *mōrós*, sciocco). Se io descrivo due genitori ansiosi e la loro «*delicata oppressione* sui bambini» riesco a criticarli con umorismo: l'aggettivo (*delicata*) attenua il giudizio riassunto nel sostantivo (*oppressione*). Quei genitori sorrideranno (forse), ma sarà chiaro a tutti come la penso.

La seconda figura retorica è la litote (dal greco *litótēs*, semplicità): una formulazione attenuata, ottenuta mediante la negazione del contrario (definizione del Devoto Oli). Sembra difficile, ma non lo è.

Don Abbondio, scriveva il Manzoni, «non era nato con un cuor di leone»: un modo ironico per dire «era pauroso». Un vostro amico passa il tempo guardando reality in TV? Diciamo che non è molto furbo, e potrebbe usare meglio il suo tempo (doppia litote, equivalente a: «È tonto, e spreca il suo tempo»).

Perchè la litote tende all'ironia? Perché dimostra una certa indulgenza, un accenno di distacco, un sano scetticismo. Se scrivo che «il calcio italiano non brillava per onestà» sono ironico; se dico che «era pieno di disonesti» sono spietato, sembro cinico (e rischio una querela).

SIATE ORIGINALI Originali non vuol dire eccentrici. Se volete essere ricordati – almeno fino alla prossima email – cercate di evitare le ovvietà (alcune le vedremo tra poco: metafore bolse, formule retoriche, saluti stereotipati). Può sembrare un consiglio ovvio, ma non lo è. Spesso l'abitudine, la pigrizia, la timidezza e le consuetudini professionali ci portano a cercare rifugio nella banalità. Ma la banalità fa a pugni con l'interesse. E, di solito, vince.

MASOTEST

Saper riconoscere le banalità è importante, perché consente di evitarle. Su www.libero.it sono state raccolte quelle segnalate dai lettori. Ne scegliamo due per categoria: a voi aggiungere la terza (alcune banali possibilità alla fine del libro).

TEMPO
Non c'è più la mezza stagione
Con 'sto tempo non si sa più come vestirsi
. . . .

STORIA
Si stava meglio quando si stava peggio
Ai miei tempi ci si divertiva con poco
. . . .

VITA
Nella vita gli esami non finiscono mai
Vent'anni si hanno una volta sola
. . . .

AMORE
L'amore con la «A» maiuscola non esiste più
In una donna, prima di tutto guardo gli occhi
. . . .

POLITICA
Non cambierà mai niente
Tanto i soldi si fermano a Roma
. . . .

MEDIA
I giornali dicono sempre le stesse cose
Certo che come si vedono i film al cinema
. . . .

VIAGGI
Noi siamo più bravi, ma i francesi sanno vendere
L'America è un Paese dalle grandi contraddizioni
. . . .

Scriverlo in italiano (*è più trendy, baby*)

Al termine del corso di scrittura che ho tenuto nel 2003 all'Università Bocconi, tre studenti mi hanno scritto questa lettera, e hanno avuto anche il coraggio di firmarla:

Chiarissimo Professor Severgini, cogliamo l'opportunità di un'interfaccia amichevole con Lei per ringraziarLa che fosse stato disponibile alle lezioni di scrittura in Bocconi. Certo non è la location giusta, ma dopo un brevissimo briefing tra di noi, come disse Churchill, e lei lo sa, «tra intimi» ci si capisce. Mostriamo la nostra accresciuta e imperitura gratitudine. Se sarebbe possibile incontrarLa di persona, Le faremo i nostri ringraziamenti personalmente, ma data la nostra estrema, disarmante, forse eccessiva, arrossata «timidezza», restiamo seduti in attesa della Sua attenzione in classe, restando muti come pesci. Nel manifestarci gradevolmente a Lei, ma «lingua mortal non dice quel che io sentia in seno» Foscolo dice. Le problematiche da Lei trattate nel corso ci saranno di grande aiuto nel corso del «cammino della nostra vita». È nostra Speranza che questa missiva giunga alla Sua Cortese Attenzione, nell'attesa di un prossimo e pronto riscontro, thanks for disturbing.

I mittenti sono riusciti a raccogliere in un breve testo alcune delle peggiori infamie linguistiche che mente umana – anzi, italiana – possa concepire. Poiché l'hanno fatto apposta, meritano i complimenti.

Hanno infatti abusato delle maiuscole, scelto vocaboli ridicoli, riesumato metafore morte, utilizzato virgolette irritanti, stravolto i congiuntivi, adottato formule stereotipate, esagerato con le citazioni e sbagliato a scrivere il mio nome.

Hanno anche usato molte inutili parole inglesi. Questo è un peccato comune, in molti ambienti professionali. Una volta ho chiesto ai partecipanti a un seminario Aspen di versare un euro per ogni parola inglese inutile. Dopo la prima (costosissima) sessione, si sono ravveduti.

All'argomento ho dedicato un libro, ma penso che la questione si possa ridurre a una frase: l'inglese è formidabile, ma è un'altra lingua.

Quando scriviamo in italiano, cerchiamo di usare parole italiane. Non si tratta di atteggiarsi a puristi: le lingue sono per natura impure, e prosperano grazie a continue mutazioni e trasfusioni. Si tratta di non diventare pigri, prevedibili o – peggio – ridicoli. Ecco dieci regole. Consideratele un promemoria, e un invito a essere dignitosi.

1. ACCETTIAMO L'INEVITABILE Vocaboli come *film*, *computer* e *email* sono entrati nella lingua italiana. Opporci è peggio che assurdo: è inutile. *Pellicola*? *Calcolatore*? *Messaggio di posta elettronica* (quattro parole invece di una, ventisette caratteri al posto di cinque)? Suvvia.

2. COMPIAMO UNO SFORZO MENTALE Evitiamo le traduzioni forzate o grottesche, destinate all'insuccesso (c'è chi ha proposto di sostituire *jet lag* con *fusopatia* e *happy hour* con *ora felice*). Ma perché usare *news* quando abbiamo *notizie* e *background* quando abbiamo *retroterra* (vocabolo chiaro, fascinoso e poco sfruttato)? Perché diciamo *fitness*? È tra gli anglismi più odiosi. Il greco ci ha dato la ginnastica, il latino l'esercizio; ma noi no, vogliamo fare gli americani.

3. NON DIAMO NIENTE PER SCONTATO
Una parola straniera è entrata a far parte della lingua italiana quando tutti la capiscono; non soltanto noi e i nostri amici. *Attachment* e *download* hanno ottimi equivalenti (*allegato* e *scaricare*); e sono comprensibili solo a chi usa internet. I *management consultants* sono noti a chi lavora in una multinazionale; ma molti italiani non sanno chi siano (qualcuno dirà: beati loro).

4. RIFIUTIAMO IL CONFORMISMO
L'orrido *vip* è ormai entrato nella lingua (e nella vita pubblica) italiana. *Vip* è più corto di *persona molto importante*, e fa comodo nei titoli. Risultato: il termine viene utilizzato per definire chiunque sia apparso almeno tre volte in televisione. In occasione di Vallettopoli ho proposto di cambiare il significato della sigla: non più *Very Important Persons*, ma *Veramente Incredibili Personaggi*.

5. RIEDUCHIAMO LE AZIENDE
L'abuso della lingua inglese in campo economico/finanziario fa ridere tutti: meno gli interessati. Il primo a denunciare la cosa fu, credo, Roberto Vacca. Con lo pseudonimo di Giacomo Elliot, scrisse un manualetto, *Parliamo Itang'liano* (1977), mettendo in guardia verso la rapida e grottesca americanizzazione del mondo degli affari (e non solo). Nel risvolto di copertina metteva questa frase, ripresa in un articolo per il «Sole-24 Ore» del 7 giugno 2007 – segno che, in trent'anni, non è cambiato niente.

*Mi rifiuto di passare all'*implementèscion *se non ho processato i* rodèita. *Io sono* autspochen*!*

Ovvero:

*Mi rifiuto di passare all'*implementation *se non ho processato i* raw-data. *Io sono* outspoken*!*

Quindi:

*Mi rifiuto di passare alla fase operativa se non sono stati ela-
borati i dati di base. Io sono schietto!*

Conosco le obiezioni. La prima: le imposizioni non sono
mai efficaci. Il regime fascista, affidandosi alla discutibile
sensibilità linguistica di Achille Starace, ordinò di tradurre
ferry-boat con *battello-pontone*, *cocktail* con *coda di gallo*,
tennis con *pallacorda* (già che c'era, sostituì anche *chiave inglese* con *morsa*). Il presidente iraniano Mahmoud Ahmadi-
nejad, recentemente, ha imposto ai quotidiani e alle agenzie
governative di tradurre in lingua farsi ogni parola straniera:
pizza diventa *pane elastico, elicottero* sarà *ali rotanti*.
    Seconda obiezione: tradurre termini inglesi ormai affer-
mati non è solo inutile, è antiquato e pedante. Be', non è
vero. Ecco la traduzione di alcuni vocaboli molto in
(ab)uso. Come potete vedere, gli equivalenti italiani sono
attuali, comprensibili ed efficaci:

 assessment = valutazione
 benchmark = parametro
 brand = marchio
 business plan = piano economico
 buyer = compratore
 brainstorming = scambio d'idee
 charts = grafici e tabelle
 competitor = concorrente
 consumer = consumatore
 customizzazione = personalizzazione

cutting edge = di punta, d'avanguardia
delivery = consegna
fee = compenso
full immersion = immersione totale
incoming = in entrata
know-how = insieme di competenze
long, short term = lungo, breve termine
human resources = risorse umane
meeting = riunione
outgoing = in uscita
outsourcing = ricorso a risorse esterne
policy = politica (aziendale)
rumors = voci, dicerie (in latino: *rumores*)
showroom = sala esposizioni
stage = tirocinio
start-up = nuova impresa
target = obiettivo
top management = direzione
trend = tendenza
trendy = di tendenza, di moda
turnover = rotazione
upgrading = promozione
workshop = laboratorio

6. RISPONDIAMO ALLA PUBBLICITÀ Basta sfogliare una rivista per rendersene conto: pubblicitari e uomini di marketing (vocabolo intraducibile) ci bombardano di frasi inglesi, spesso senza significato apparente. Apro «Sportweek», settimanale della «Gazzetta dello Sport» (9 giugno 2007):

Run like you've never run before (Nike)
Life is now (Vodafone)
A product of free will (Volvo)
The fragrance for men (Bulgari)

Beachwear (John Richmond)
Sound mind, sound body (Asics)
Make Waves (Speedo)
Daily Chic (Morellato)
Surfers Only (Fiat)
Signatures Series / Oil Drum (Oakley)
Welcome to the Human Network (Cisco)
Touching Your Heart (Yamaha)

... e queste sono solo le prime dodici pagine.

Il movente è chiaro: la lingua inglese porterebbe con sé un'idea di modernità, velocità e stile. Ed è proprio questa equazione che dobbiamo rifiutare. Anche l'italiano può essere moderno, veloce e avere stile. Basta saperlo maneggiare.

7. DIFFIDIAMO DELLA POLITICA Pensando di svecchiarsi, e non avendo il coraggio di cambiare, la politica italiana ricorre volentieri alla lingua inglese. Per salvare la famiglia – che sta meglio della famiglia anglosassone – è stato organizzato il *Family Day*. Per protestare contro le tasse, è stato indetto il *Tax Day*. Un ministero era stato chiamato *Welfare*, anche se il 95% dei cittadini non aveva mai sentito parlare di Welfare State. Eccetera.

8. NON IMITIAMO LA TELEVISIONE Credo che la battaglia contro *reality* e *talk-show* sia perduta (è curioso: entrambi i generi televisivi sono moribondi, ma i loro nomi sono vivi e vegeti). Ma non si capisce perché, allo scopo di istruire gli italiani, si punti su *Rai Educational*; né per quale motivo la diffusione dell'italianità venga affidata a *Rai International* (i francesi, più astuti, hanno scelto *France 24*. Comprensibile a tutti, e il numero ognuno lo legga come vuole).

9. STIAMO ATTENTI AI PLURALI Ricordiamo che i vocaboli inglesi entrati a far parte della nostra lingua (sono un migliaio, e un elenco è inopportuno perché cambiano in fretta) NON prendono la *s* né le altre forme di plurale. Quindi: i *film*, i *computer*, i *manager*, i due *superman*. I vocaboli che consideriamo ancora stranieri vogliono invece il plurale originale. Perciò: le *highways*, le *wonder-women*. Lo stesso vale per i vocaboli provenienti da altre lingue. *Referendum* e *curriculum* (latino) sono ormai parole italiane (quindi: i *referendum* e i *curriculum*, non i *referenda* e i *curricula*). *Land* (in tedesco: regione confederata) resta una parola straniera. Quindi, i *Länder*, non i *Land*.

10. IGNORIAMO TUTTE LE REGOLE PRECEDENTI, se ci portano a scrivere assurdità (immortale suggerimento di George Orwell in *Politics and the English Language*, 1946).

Da un'intervista pubblicata sul «Corriere della Sera» il 27 marzo 2006:

È un lusso avere a disposizione un aereo privato; guai però a non capire quando un volo low coast è più comodo.

Domanda: cos'è un «*volo low coast*»?

A) Un volo a bassa quota sulla costa
B) Un volo sulla costa bassa (l'aereo s'allontana in vista delle prime scogliere)
C) Un volo a basso costo (*low cost*), scritto sbagliato

Non calpestate i congiuntivi

Il congiuntivo è morto, dicono. Omicidio, suicidio o evento accidentale? Nessuna di queste cose. Credo si tratti della conseguenza logica di un fenomeno illogico. Sempre meno italiani, quando parlano, esprimono un dubbio; quasi tutti hanno opinioni categoriche su ogni argomento (vino e viaggi, case e calcio, sesso e sentimenti). Pochi dicono *Credo che col pesce si possa bere anche il vino rosso*. I più affermano *Credo che col pesce si può bere anche il vino rosso* (poi ordinano Tavernello bianco frizzante).

La crisi del congiuntivo non deriva dalla pigrizia, ma dall'eccesso di certezze. L'affermazione *Speravo che portavi il gelato* non è solo brutta: è arrogante («Come si permette, questo qui, di venire a cena senza portare il gelato?»). La frase *Speravo (che) portassi il gelato* è invece il risultato di una piccola illusione, cui segue una delusione contenuta e filosofica. Accade, nella vita, che la gente dimentichi di portare il gelato.

Il momento difficile del congiuntivo ha anche una concausa: la fretta con cui scriviamo. Solo così si spiega questo lancio dell'Ansa del 14 giugno 2007, dove si attribuisce ad Al Gore un periodo ipotetico quanto meno avventuroso.

Stiamo di fronte a un'emergenza planetaria – ha spiegato. – La calotta polare potrebbe sparire in 35 anni e se consentissimo che avvenissimo, ci sarebbero conseguenze così incredibili da distruggere le nostre categorie di giudizio.

Ma la crisi del congiuntivo – ripeto – ha un'origine chiara: pochi oggi pensano, credono e ritengono; tutti sanno e affermano. L'assenza di dubbio è una caratteristica della nuova società italiana. A furia di sentirci dire (dalla pubblicità, dalla televisione, dalla politica) che siamo belli, giusti e simpatici, abbiamo finito per crederci.

Chi esprime cautela (e usa il congiuntivo) rischia di passare per insicuro. Non da oggi, a dire il vero. Ricordo l'esame per diventare giornalista professionista, a Roma. Vivevo a Londra, in quel periodo; e durante la prova orale iniziavo ogni risposta con *Credo che sia..., Mi sembra si tratti...* L'esaminatore s'è irritato: «Smetta di dire *credo...* e *mi sembra...* Le cose le sa o non le sa!». Gli ho risposto: «Vivo in un Paese dove dicono *I believe...* (io credo) anche prima di comunicare l'ora esatta: l'orologio potrebbe essere fermo».

Mi rendo conto d'aver sbagliato. Gli orologi degli scongiuntivati vanno sempre. È la testa, ogni tanto, che si ferma.

***

Qualcuno penserà: allora l'affermazione *Penso che Luca è un somaro* è scorretta! No, è corretta. In questo caso, *io penso* equivale a *io so* (cui segue, ovviamente, l'indicativo). *Penso che Luca sia un somaro* lascia aperta la possibilità che Luca non lo sia. *Penso che Luca è un somaro* smette di essere un'ipotesi, e diventa una constatazione: Luca ha dato prova di tutta la sua somaraggine, e non è più lecito dubitarne.

Chi altri è autorizzato a ignorare il congiuntivo? Vediamo: Dante e Cipputi, per esempio.

Inferno
X, 54: *credo che s'era in ginocchie levata*
XIII, 25: *Cred'io ch'ei credette ch'io credesse*

Paradiso
II, 60: *credo che fanno i corpi rari e densi*
XXVII, 35: *e tale eclissi credo che 'n ciel fue*
XXXIII, 92: *credo ch'i' vidi*

L'*Italia di Cipputi* (2005) pag. 212:
– *Come classe operaia ci snobbano alla grande, Cip.*
– *Te l'avevo avvertito, Lambrazzi, che se ci facevano entrare al club era per criticarci i calzini.*

La scelta dantesca mi è stata spiegata da Francesco Sabatini dopo una visita alla Crusca: «Le mando uno spiedino di indicativi per congiuntivi nei nostri santi padri: non "sviste", ovviamente, ma cedimenti all'uso parlato, tendente alla semplificazione morfosintattica (che avrebbe fatto altri passi già prima di ora, se l'italiano si fosse diffuso ampiamente per tempo)».

L'abitudine di Cipputi è illustrata invece da Edmondo Berselli nell'introduzione dedicata all'eroe di Altan: «... abbiamo tutti alle spalle questa lingua italiana di fabbriche e di classi popolari, che ricorda le case di ringhiera e i casermoni delle periferie, che distorce e sbaglia i congiuntivi canonici, ma segnala una cultura che ha capito i processi di omologazione della modernità e si rifiuta di accettarli nonostante le lezioni televisive».

Convincenti entrambi, direi. E, in modi diversi, premonitori. Giorgio De Rienzo, autore di *Scioglilingua –* *Guida alla grammatica italiana* (2006), ammette: «L'uso la vince sempre nella lingua: congiuntivi e condizionali avranno vita breve». A questa profezia aggiunge però una preghiera: «Sarebbe bello tentare di resistere per restituire al nostro tempo, tutto proiettato (apparentemente) su ciò che è oggettivo e reale, il molto che è invece soggettivo e possibile». Come dire: il congiuntivo è malato, ma per il funerale c'è tempo.

***

Ho assistito alla Giornata dell'Orientamento all'Istituto Luca Pacioli di Crema, la mia città. Non è, come il nome lascia pensare, un incontro in cui alcuni girano bendati (i futuri geometri), altri con la bussola (gli aspiranti ragionieri), cercando l'uscita della scuola. È, invece, un buon servizio che alcune scuole offrono. Ex alunni ed esperti arrivano, un sabato mattina, e presentano i vari sbocchi universitari e professionali.

Non essendo un ex alunno, né un esperto, sono rimasto ad ascoltare (un esercizio sempre utile, per chi fa il mio mestiere). Ero in un'aula, seduto dietro al solito banco acquamarina, che è il colore dei ricordi per milioni di noi. Stavano parlando tre ex alunne, ora ventenni: Laura, che lavora in un'assicurazione; Simona e Alessandra, impiegate come programmatrici in azienda. A un certo punto, sono rimasto di stucco. Laura ha detto: «Non pensavo mi assumessero...». Simona ha spiegato: «Se non avessi studiato qui...». Alessandra ha concluso: «Spero che quello che ho appena detto vi abbia interessato». Sbalorditivo: tre italiane su tre che usavano i congiuntivi.

Ora, io non vorrei sembrare snob, né pedante come i vecchi professori di liceo (che nostalgia; non se ne può più di tutta questa gente interessante). Ma vi assicuro che se quello fosse stato un colloquio di lavoro, le avrei assunte tutt'e tre. Usare il congiuntivo vuol dire infatti avere il cervello con le marce: è più facile salire, qualunque sia la montagna. Badate bene: Simona, Alessandra e Laura non erano zitelline malinconiche. Avevano le treccine africane d'ordinanza, il maglioncino con la cerniera, vestivano con trasandatezza meticolosa. Laura aveva anche il piercing nel naso. Credevo fosse incompatibile col periodo ipotetico, ma mi sbagliavo.

Certo, si può essere geni e parlare come un dee-jay a fine turno. Ma vi assicuro: il linguaggio diventerà un segno distintivo, qualcosa che permetterà di farsi notare (sul lavoro, in compagnia, nella società). Ora che tutto si compra, infatti, sta diventando prezioso quello che s'impara. Fidatevi, ragazzi: conosco ragazze che considerano un congiuntivo più sexy dell'orologio di lusso e del pantalone firmato. Non fate quella faccia. Sono pure carine.

Chi è l'autore di questo periodo senza congiuntivi?

«... cercò di occupare il regno di Napoli; e se non era rotto e morto a l'Aquila, gli riusciva.»

A) Niccolò Machiavelli (*Dell'arte della guerra*, 1521), a dimostrazione che il periodo ipotetico con due indicativi imperfetti al posto del congiuntivo e del condizionale è in uso da secoli.

B) Matilde Serao, in un elzeviro sul «Mattino» (1895), convinta che la scrittura giornalistica dovesse talvolta sacrificare la sintassi, per avvicinarsi al lettore popolare.

C) Paolo Bonolis (*Affari tuoi*, 2005), nel tentativo di descrivere la rivalità tra due concorrenti, un abruzzese e un partenopeo.

Non gettate oggettive dal finestrino

Who, that, which, whom, when, than, perfino *something* (*there's something funny about that boy,* c'è un che di buffo in quel ragazzo). L'inglese usa tutti questi termini per tradurne uno solo: *che.*

Pronome relativo, interrogativo, indefinito ed esclamativo; talvolta rafforzativo; occasionalmente sostantivo; raramente aggettivo. Molto spesso *che* è una congiunzione. Può introdurre il secondo termine di paragone (*meglio la cucina che il bagno*) o una proposizione comparativa (*c'è più puzza qui che lì*); una proposizione causale (*sono contento che ti sia lavato*), una consecutiva (*c'era un odore che non si respirava*), una temporale (*visto che c'era, si turò il naso*), una imperativa (*che si faccia una doccia!*), una finale (*apri la finestra, che cambiamo l'aria*) e – soprattutto – una dichiarativa, soggettiva (*mi sembra che tu puzzi*) o oggettiva (*lei dice che tu puzzi*).

Che dire, sul *che*, che non sia stato detto e che sia utile? Questo forse: queste tre lettere dall'aspetto innocente sono uno dei flagelli della lingua italiana. Un virus da cui bisogna difendersi. Come? Vediamo.

La regola d'oro è: ELIMINIAMOLO!

Ogni volta che, scrivendo, togliamo un *che*, facciamo qualcosa che serve alla gente che legge.
Ora sistemiamo la frase:

Quando, scrivendo, togliamo un che, *facciamo qualcosa di utile a chi legge.*

Meglio, no?
La lotta contro i *che* dev'essere metodica e spietata. Pensate di essere davanti a un videogioco: appena compare un *che*, pam! fatelo fuori.
Propongo un esperimento. Eliminate TUTTI i sedici *che* da questo mio pezzo. Vi assicuro: si può fare.

«Non c'è più il futuro **che** c'era una volta.» È una scritta **che** è comparsa su un muro di Milano, e **che** è stata riprodotta sulle pagine del «Corriere». Se è il motto dei trentenni italiani – come pare – bisogna dire **che** non è male. In fondo è più una constatazione **che** una lamentela.
Capisco **che** il Paese non abbia tempo d'occuparsi di questi dettagli, ora **che** è troppo preso dalle disavventure di un galletto sbranato dalla chioccia **che** l'aveva visto fare il pavone ai Telegatti (un'altra prova **che** l'Italia è uno zoo). Però c'è in ballo il futuro di una generazione. È una cosa **che** dobbiamo ricordare, ogni tanto.
Qual è il problema? Lo sapete **che** la flessibilità (necessaria) è diventata incertezza (dolorosa). Il lavoro immobile – e ormai impossibile, salvo **che** nella fantasia degli ultraconservatori di sinistra – ha lasciato il posto all'ottovolante dell'impiego. Su e giù, giù e su, dentro e fuori, sopra e sotto. All'inizio pare **che** ci si diverta: ma poi, immagino, vien da vomitare.
Tempo fa avevo proposto **che** venisse modificato l'arti-

colo 1 della Costituzione: «L'Italia è una Repubblica fondata sullo stage». La proposta **che** ho fatto ha divertito gli interessati, ma è stato un riso amaro. Lo stage – periodo gratuito di lavoro – sta diventando un aiuto stabile **che i** ragazzi italiani offrono alle aziende. Domanda: ma non doveva essere il contrario?

In effetti, sul «Corriere» il pezzo è uscito così:

«Non c'è più il futuro di una volta.» È una scritta comparsa su un muro di Milano, riprodotta sulle pagine del «Corriere». Se è il motto dei trentenni italiani – come pare – non è male. In fondo non è una lamentela: è una constatazione.

Capisco: il Paese non ha tempo d'occuparsi di questi dettagli. Al momento è troppo preso dalle disavventure di un galletto sbranato dalla chioccia dopo aver fatto il pavone ai Telegatti (un'altra prova, l'Italia è uno zoo). Però c'è in ballo il futuro di una generazione: forse è il caso di ricordarsene, ogni tanto.

Qual è il problema? Lo sapete: la flessibilità (necessaria) è diventata incertezza (dolorosa). Il lavoro immobile – e ormai impossibile, se non nella fantasia degli ultraconservatori di sinistra – ha lasciato il posto all'ottovolante dell'impiego. Su e giù, giù e su, dentro e fuori, sopra e sotto. Uno all'inizio si diverte, pare. Ma poi, immagino, vien da vomitare.

Tempo fa ho proposto una modifica dell'articolo 1 della Costituzione: «L'Italia è una Repubblica fondata sullo stage». La mia proposta ha divertito gli interessati, ma è stato un riso amaro. Lo stage – periodo gratuito di lavoro – sta diventando un aiuto stabile dei ragazzi alle aziende. Domanda: ma non doveva essere il contrario?

Difficile? Ma no. Vediamo.

1. «Non c'è più il futuro **che** c'era una volta.»
   «Non c'è più il futuro di una volta.»
Relativa inutile: buttare. Preposizione semplice: utilizzare.

2. una scritta **che** è comparsa su un muro di Milano
   una scritta comparsa su un muro di Milano
Che è superfluo (basta il participio passato).

3. **che** è stata riprodotta
   riprodotta
Vedi sopra.

4. bisogna dire **che** non è male
   non è male
Bisogna dire che: quattordici lettere inutili.

5. è più una constatazione **che** una lamentela.
   non è una lamentela: è una constatazione.
Spesso i due punti sostituiscono il *che* per introdurre il termine di paragone.

6. Capisco **che** il Paese non abbia tempo
   Capisco: il Paese non ha tempo
I due punti sono UTILISSIMI per introdurre soggettive e oggettive.

7. ora **che** è troppo preso
   Al momento è troppo preso
Spezzare una frase con un punto. Un altro modo per aggirare il malefico *che*.

8. sbranato dalla chioccia **che** l'aveva visto fare il pavone
   sbranato dalla chioccia dopo aver fatto il pavone
Sostituiamo una relativa con una temporale, e il gioco è fatto.

9. un'altra prova **che** l'Italia è uno zoo
un'altra prova, l'Italia è uno zoo
Basta una virgola, talvolta.

10. una cosa **che** dobbiamo ricordare
è il caso di ricordarsene
Una soggettiva implicita al posto di una relativa: bingo!

11. Lo sapete **che** la flessibilità
Lo sapete: la flessibilità
Vedi punto 6. Magici due punti!

12. salvo **che** nella fantasia
se non nella fantasia
Meglio, no?

13. All'inizio pare **che** ci si diverta
All'inizio ci si diverte, pare
Abbiamo eliminato, in un colpo solo, *che* e inutile congiuntivo.

14. avevo proposto **che** venisse modificato
avevo proposto una modifica
Un sostantivo in cambio di un'oggettiva (con congiuntivo imperfetto): un affare.

15. La proposta **che** ho fatto
La mia proposta
Non è la stessa cosa?

16. un aiuto stabile **che** i ragazzi offrono alle aziende
un aiuto stabile dei ragazzi alle aziende
Addio relativa: il complemento di specificazione è meglio.

Eliminate tutti i *che* da questo passo delle *Cosmicomiche* di Italo Calvino.

Fra tante cose indispensabili che ci mancavano, capirete che l'assenza dei colori era il problema minore: anche avessimo saputo che esistevano, lo avremmo considerato un lusso fuori luogo. Unico inconveniente, lo sforzo della vista, quando c'era da cercare qualcosa o qualcuno, perché tutto essendo ugualmente incolore non c'era forma che si distinguesse chiaramente da quel che le stava dietro e intorno. A malapena si riusciva a individuare ciò che si muoveva: il rotolare di un frammento di meteorite, o il serpentino aprirsi di una voragine sismica, o lo schizzare d'un lapillo.

Spegnete gli aggettivi, possono causare interferenze

Arriva email pubblicitaria: «Case Profumate di Passato Antico». Ohibò, avrebbe detto mio bisnonno Francesco, che antico era davvero. Cos'è il *passato antico*? Un *restyling* del passato remoto? L'opposto del futuro moderno? Una forma di trapassato? L'aoristo delle immobiliari? Oppure si tratta del solito aggettivo pleonastico e decorativo, oggi tanto di moda?

Dopo breve riflessione – il tempo di scrivere queste righe – propendo per quest'ultima ipotesi. *Passato antico* è una combinazione tautologica, che spiega quello che si sa già. Esempi di questa veniale degenerazione riempiono anche la lingua parlata: relazioni, conferenze, varietà televisivi e radio del mattino, dove simpatici ragazzoni pensano di combattere la sonnolenza con la loquacità. Come fanno? Semplice: infilano aggettivi, uno dopo l'altro, come perle in una collana. Un'attrice non è brava: è simpatica-unica-specialissima-formidabile-straordinaria! Un luogo non è vicino o lontano, eccitante o riposante: è tutte queste cose insieme, e qualcuna di più.

L'Aggettivista ha gli attributi: fin troppi. È un drogato

lessicale che ha iniziato per scherzo e non riesce più a smettere. Perché limitarsi a uno solo, quando se ne possono buttar giù sette? Non capisce, lo sventurato, che UN aggettivo interessa, due incuriosiscono, tre lasciano perplessi, quattro stancano e cinque mettono in fuga chiunque.

Esiste un'inflazione semantica, subdola come quella monetaria. Se dico: «Mario è bravo, gentile, disponibile, onesto, aperto, simpatico», lo demolisco. L'ascoltatore percepisce l'esagerazione implicita in quella scarica di parole, e pensa che Mario sia un mezzo deficiente. Se dico: «Mario? Una persona perbene» convinco i miei interlocutori che Mario lo è davvero. Ho fatto la fatica mentale di scegliere, tra i 25.000 aggettivi della lingua italiana, quello giusto per definirlo (*perbene*, indeclinabile). Chi ascolta, ringrazia. E, magari, ci crede.

Anche chi scrive per mestiere cade in questa trappola. Molti pensano di raggiungere più in fretta la misura richiesta aggiungendo aggettivi. È una tentazione irresistibile; e giornalisti, insegnanti, accademici, magistrati, avvocati e studiosi non hanno alcuna intenzione di resistervi. Tra *abbacchiato* e *zuppo*, il dizionario nasconde migliaia di delizie, che aspettano solo d'essere esibite. Fatelo, ma ricordate che gli aggettivi sono come le cravatte: meglio usarne una alla volta, o nessuna. Altrimenti si diventa ridicoli.

***

Abulico, catartico, endemico, parossistico, semantico. Se non sapete cosa vogliano dire queste parole, fareste bene a impararlo. Certo, si vive bene anche senza aggettivi complicati, ma prima o poi il momento arriva: qualcuno parla di *fenomeno endemico* e noi non sappiamo cosa voglia dire. State pensando: «E allora?». Risposta: le parolone sono come le parolacce. Meglio non usarle, ma è importante conoscerle.

Questo vale soprattutto per i più giovani, di cui posso sentire lo scetticismo a distanza (non ci crederete: ma a chi scrive, ogni tanto, succede). Un ventenne pensa: non è questo che conta nella vita! Per far colpo su una ragazza, un guardaroba ben fornito serve più d'un vocabolario ben assortito. Be', come ho scritto, conosco ragazze che la pensano in modo diverso. Non vogliono che il corteggiatore, prima di baciarle, dica: «Questo è un momento catartico». Ma sarebbero deluse se scoprissero che il giovanotto confonde la catarsi con la bronchite.

Qualcuno sostiene che bastano un migliaio di parole, per parlare una lingua: ma saperne di più, certo, non fa male. Un giovane collaboratore ha abbozzato un comunicato stampa televisivo che iniziava così:

Il sindaco di Torino ha ospitato Beppe Severgnini nella sua accogliente casa di fianco al Po, nel centro storico, e sul comodo divano del soggiorno si è sciolto in varie considerazioni e scaldato su alcuni problemi...

Il ragazzo di solito scrive bene: sono certo che si è trattato di un increscioso incidente. Lasciamo perdere quello *scioglimento* e quel *riscaldamento*, punibili con misure detentive. Il sostantivo *casa* non deve essere MAI preceduto dall'aggettivo *accogliente*, e un divano NON può essere *comodo* (se lo è, non bisogna scriverlo). Abbinare sostantivi e aggettivi è delicato come abbinare una camicia e una cravatta, o una gonna e una giacca: l'eccessiva prevedibilità è stucchevole quanto l'esagerata originalità.

Per evitare questi infortuni, è bene tenere a portata di mano un dizionario. Non dev'essere studiato come un libro di testo: dev'essere piluccato. Un buon lessico si costruisce negli anni, con pazienza. Quando si ignora il significato di un vocabolo, è bene cercarlo. C'è gente che ha letto/ascoltato molte volte la parola *semantico*, ma non s'è mai presa la briga di andare a vedere cosa voglia dire (dovrei scriverlo qui? Troppo comodo).

Non solo. La lingua italiana è piena di parole che abbiamo trascurato, sebbene siano precise ed efficaci. I vocaboli sono come i mobili: non sempre quelli nuovi sono migliori. L'antiquariato verbale, tuttavia, è una faccenda sofisticata. Alcune parole, infatti, sono soltanto vecchie, e conviene lasciarle dove sono. Altre, invece, conservano il loro fascino e il loro vigore.

Qualche esempio, per capirci. Definire *sgangherata* una proposta è più efficace che definirla *sbagliata, scadente, debole* o *brutta*. *Sgangherato* è un aggettivo insolito e duttile, ma non eccentrico (provate a dire – non dal panettiere, possibilmente – «Siamo circondati da ideologie sgangherate», e tutti capiranno). Pensate a *sbalordito*: è più forte di *sorpreso* e meno banale di *scioccato*. Considerate *sghembo*. Non è un aggettivo ma una radiografia, in grado di smontare un programma o un progetto. Prendete l'aggettivo *lusingato* (meglio di *contento* o *felice*, in certe occasioni). Oppure *incazzato*: è pappa televisiva, ormai. Se ci siete veramente rimasti male, dite: «Sono amareggiato». Non è escluso che qualcuno, dall'altra parte, si fermi a pensare.

SADOQUIZ

Tra questi dieci aggettivi, antichi ma efficaci, due riportano una definizione sbagliata. Quali sono?

abulico – inappetente
catartico – liberatorio
criptico – nascosto
endemico – contagioso
ermetico – difficile
palese – evidente
parossistico – esasperato
sgangherato – sconnesso
sghembo – storto
stentoreo – roboante

Non date da mangiare alle maiuscole

La questione è minuscola, e riguarda le maiuscole. C'è chi le piazza ovunque (tanto sono gratis), e chi tende a utilizzarle il meno possibile. Chi le usa a proposito e chi le mette a caso, spargendole qua e là. Chi ne fa un problema ideologico, e chi una questione di rispetto. Chi le usa involontariamente, dando la colpa agli *Americans*; e chi non capisce perché i tedeschi imbelliscano in quel modo tutti i sostantivi, privandosi della possibilità di stabilire gerarchie. A Berlino, un cavolo (*der Kohl*) vale un vecchio statista (*Herr Kohl*).

Maiuscolite e minuscolite sono malattie sociali, e vanno studiate con attenzione, perché rivelano tratti del nostro carattere. C'è ad esempio chi ha dichiarato guerra alle maiuscole, ritenendole, fondamentalmente, di destra. Secondo questo punto di vista, esse esprimono dipendenza e suddistanza, e vanno evitate. Questi minuscoli rivoluzionari hanno trovato incoraggiamento nella posta elettronica, dove le maiuscole saltano («caro severgnini, che si dice al corriere?»). Ma non hanno fatto i conti con i nuovi programmi di scrittura, che le maiuscole le impongono d'autorità.

L'orgoglio nazionale, invece, può operare in due sensi. C'è chi, come Alberto Ronchey, lo invoca per ribellarsi all'abitudine anglosassone di usare le maiuscole nei titoli (*For Whom the Bell Tolls*, Hemingway). E chi, come Indro Montanelli, scriveva Paese con la maiuscola («Anche se non lo merita», aggiungeva).

Meno nobile, ma diffusa, è la Maiuscola Enfatica: uno scrive un articolo modesto, e pensa che con un paio di lettere maiuscole le sue banalità vengano assunte nell'Olimpo dei concetti assoluti («Stiamo parlando della Tradizione: qualcosa che nasce dalla Storia, qualcosa che appartiene all'Uomo»).

Irritante – come abbiamo visto – è la Maiuscola Servile (o Pronominale), quella che sbuca alla fine di un verbo, e vorrebbe indicare rispetto (ne abbiamo parlato a pag. 22).

Gentile Dottore, abbiamo letto la Sua ultima fatica, e La invitiamo alla nostra manifestazione, in un giorno a Sua scelta, insieme alla Sua famiglia. Sperando farVi cosa gradita, Vi prenotiamo fin d'ora un posto per assistere alla parata delle nostre pecore da corsa.

L'intenzione è chiara: cortesia verso l'interlocutore. Ma l'effetto è esteticamente devastante, moralmente discutibile e socialmente sospetto. L'esperienza insegna. Se qualcuno si rivolge a Voi in codesto modo, chiedendoVi umilmente scusa del disturbo arrecatoVi, e invoca la Vostra cortesia, state certi: c'è sotto la fregatura.

Perché in queste «condizioni per l'uso del banco-mat», i sostantivi *Banca* e *Cliente* hanno la maiu-scola, mentre *consumatore* è minuscolo?

Determinazione e modifica delle condizioni:

1) Le condizioni economiche applicate ai rapporti posti in essere con il Cliente sono indicate nei mo-duli allegati e riferite ai rispettivi rapporti.

2) Ai sensi dell'art. 118 del Decreto legislativo 1° settembre 1993, n. 385, la Banca si riserva la fa-coltà di modificare le condizioni contrattuali che di-sciplinano i rapporti con il Cliente (tassi, prezzi e al-tre condizioni di contratto) – qualora sussista un giu-stificato motivo, nel rispetto di quanto previsto dal-l'art. 1341, comma 2, del Codice Civile – dan-done espressa comunicazione al Cliente, in forma scritta o mediante altro supporto durevole preventiva-mente accettato dal Cliente stesso, con un preavviso minimo di trenta giorni. [...] Qualora il Cliente rive-sta la qualità di consumatore ai sensi dell'art. 3, comma 1, lett. a del D.lgs. n. 206/2005, la fa-coltà di modifica è esercitabile al ricorrere delle con-dizioni di legge poste a tutela del consumatore stesso.

Slacciate le metafore di sicurezza

Cosa vuol dire? Semplice: non usate una metafora che avete già letto o ascoltato. Inventatela.

Metafora deriva dal greco *metaphorá*, trasferimento (da *metá*, oltre, e *phéro*, porto). Segnala infatti un passaggio di significato, basato su una relazione di somiglianza. Il vocabolo – caso raro fra i termini coniati dai grammatici antichi per designare le figure retoriche – è sopravvissuto nel linguaggio corrente. Non così metonimia, un nome al posto di un altro; o sineddoche, una parte per il tutto.

Pugno di ferro, vena polemica, viscere della terra e *ossatura di una squadra* sono metafore anatomiche usate per parlare, rispettivamente, di ordine pubblico, discussioni, geologia e sport. Se ci pensate, ve ne vengono in mente altre duecento.

Il problema, qual è? Le metafore si usurano, e perdono efficacia. *Nervi d'acciaio, volontà di ferro* e *cuore d'oro* provocano sbadigli. La metallurgia e la psicologia, insieme, possono produrre di meglio.

Una possibilità, davanti a una metafora ingiallita, è lucidarla, e divertirsi un po'. Un esempio? Posso scrivere:

«... siamo la generazione di latta, e abbiamo ricevuto un'educazione di ferro da genitori coi nervi d'acciaio». Ma solo perché sono nato nel 1956, la plastica non era ancora arrivata, e papà e mamme erano innegabilmente tosti.

Stesso discorso per le similitudini, che sono metafore più sciolte (le allegorie, invece, sono metafore complesse e continuate. Dante Alighieri detiene il record mondiale della specialità).

Si sta come
d'autunno
sugli alberi
le foglie

scriveva Giuseppe Ungaretti nel 1918, per descrivere la precarietà della condizione umana. Perché quelle nove parole scandite da tre a capo costituiscono un capolavoro? Perché l'immagine è fulminante, e l'intuizione originale. Dopo Ungaretti e Prévert, le foglie hanno smesso ufficialmente di cadere dagli alberi, ai fini linguistici. Bisogna inventarsi qualcos'altro.

Si sta come
un co.co.pro
dopo
due stage

Ecco, così funziona. Anche se non è molto poetico (né socialmente rassicurante).

Solo una delle espressioni in neretto NON ha un'origine agricola. Qual è?

Paolo era un tifoso **colto**: leggeva **libri** di Soriano, **rigava diritto**, non **delirava**. Ogni domenica s'**inerpicava** in curva: trovava **stimolante** quei **filari** di colori inattesi. Gli piacevano perfino gli insulti; **bifolco! cafone! buzzurro!** Non c'era da annoiarsi, allo stadio. Però la squadra non vinceva; era il suo **assillo**. Vecchie glorie e talenti **in erba** non bastavano: il gioco era **farraginoso**. Nuovi **innesti, rampolli** stranieri? Ma se le altre squadre ci **appioppavano** sempre i loro **scarti**! Ecco: autogol. Paolo **racimolò** le forze e, per la prima volta, imprecò.

In vista della citazione, rallentate

Le citazioni sono un'arma impropria: possono far male, anche a chi le usa. Rappresentano – bisogna dirlo – una tentazione. Costituiscono infatti una forma di saggezza in affitto, senza canone.

Non bisogna perciò esagerare: nel dubbio, astenersi. Le citazioni, come la majonese e la panna montata, diventano presto stucchevoli. Se un ragazzo, la prima volta che uscite con lui, cita Lucrezio, Leopardi, La Rochefoucauld, DeLillo e Luttazzi (Daniele) vuol dire che non ha nulla da dire, oppure è molto timido. Nel secondo caso, baciatelo. Nel primo, cacciategli in mano una Garzantina: «Portaci lei, a cena. Avrete un sacco di cose da raccontarvi».

Il citatore è un citofono: tu schiacci, lui risponde. Di solito ha una certa età, ma esistono casi precoci, e sono inquietanti. Irritato dalla difficoltà, dici che vuoi gettare la «Settimana Enigmistica» dal finestrino del treno? Lui ribatte: «*Est modus in rebus*». Che non vuol dire «Trovo io la soluzione!», bensì «C'è una misura nelle cose», frase dell'incolpevole, ma inflazionato, poeta latino Orazio (omonimo del marito di Clarabella, la cui citazione sarebbe invece lodevole).

Il citator scortese non si tuffa solo nell'antichità, ma raccoglie materiale dovunque: anche tra i contemporanei, compresi i colleghi d'ufficio. Conosco una ragazza che cita spesso le massime del capo (per questo è sempre sola nella pausa pranzo); un professionista, apparentemente inoffensivo, che ripete la pubblicità televisiva della sera precedente; e uno studente che ulula come un coyote, credendo di imitare il Ranzani di Cantù («Vaaaaaaaaa bene!»).

Tra tutti, il più preoccupante è il Monocitatore, ovvero colui-che-conosce-una-sola-fonte. Mettiamo: adora Vasco Rossi, e combina morbosamente i titoli delle canzoni, nei momenti più inopportuni. Arrivate al ristorante, il cameriere domanda: in quanti siete? E lui: «Siamo solo noi!». Minerale o frizzante? «Bollicine.» Serve altro? «Va bene, va bene così.» La cosa grave è che pensa d'essere spiritoso, mentre voi, che amate Ligabue, avreste voglia d'infilargli un grissino nell'orecchio.

Per riassumere: citazioni, poche ma buone. Limite d'affollamento: una ogni mille parole. La migliore in assoluto? Una frase di R.W. Emerson (saggista e poeta americano, nulla a che fare col calciatore brasiliano): «*I hate quotations. Tell me what you know*». Odio le citazioni. Dimmi quello che sai.

«Ma la tua dignità non c'entra, la custodisco come un bene prezioso nel mio cuore anche quando dalla mia bocca esce la battuta spensierata, il riferimento galante, la bagattella di un momento.»

Di chi è questa citazione?

A) Ugo Foscolo, *Ultime lettere di Jacopo Ortis* (1802)
B) Nathaniel Hawthorne, *La lettera scarlatta* (1850)
C) Silvio Berlusconi, lettera alla moglie Veronica (2007)

Evitate i colpi di sonno verbale

Distrazioni, sviste, colpi di sonno. Chiamateli come volete, ma evitateli: provocano infatti incidenti (veniali, gravi, imbarazzanti: dipende). Ortografia (scrittura corretta), morfologia (forma delle parole) e sintassi (loro funzione logica) possono essere insidiose. Scivolare quasi mai è drammatico, ma non è mai divertente.

Leo Pestelli, autore di *Parlare italiano* (1957), sosteneva questo: «Scrivere la propria lingua correttamente, in linea coi padri, senza troppo concedere all'uso è ufficio d'ogni uomo civile». Mezzo secolo dopo, possiamo dire: esagerato! Però un giorno un figlio sadico, un commensale pignolo o un capoufficio sgrammaticato chiederanno aiuto, e c'è la possibilità di far bella figura. Ecco qualche dubbio che avevo, qualche errore comune, qualche regola da ricordare.

AD ESEMPIO? Aggiungete la *d* solo se aiuta la pronuncia (*ad, ed* e *od* sono forme eufoniche). Fatelo sempre quando si scontrano due vocali uguali (*Giulia ed Eugenia vanno ad Ancona*). *Massimo ed Anna sono miei amici,* invece, è pedante. *Massimo e Anna* va benissimo. Ignorate questa regola ogni volta che l'orecchio ve lo suggerisce. Un'eccezione, per esempio, è *ad eccezione*. Un altro esempio è *ad esempio*.

ALTERNATIVA Un'*alternativa* è la scelta tra due soluzioni o possibilità (non fra tre o quattro). Fidanzarsi con Maria o con Mario? Questa è un'alternativa (delicata, di questi tempi). Scegliere Cristiano Ronaldo, Messi o Pato, per rinforzare l'Inter? Questa è una scelta (dipende dalle tasche di Moratti).

AVERE O ESSERE? Erich Fromm non c'entra. Scrivere *Ronaldo non avrebbe dovuto andare al Milan* è sbagliato. Ma è uno sbaglio che commetteva anche Montanelli (e lo difendeva!). Non bisogna infatti guardare il verbo modale (*dovere*), bensì il verbo principale (*andare*, intransitivo, ausiliare *essere*). Quindi: *Ronaldo non sarebbe dovuto andare al Milan* (sempre meglio che tornare all'Inter, comunque).

BASTA COL PÒ Resistete alla pigrizia, alla sciatteria altrui, ai dizionari dei cellulari: *un po'* è la forma tronca di *un poco*, perciò si scrive con l'apostrofo e NON con l'accento (il fiume Po è in secca, e non vuole né uno né l'altro). Vi accuseranno d'essere pedanti: spiegate che siete solo eleganti.

ECO GRAFIA *Un'eco* o *un eco*? Vanno bene tutti e due. Il sostantivo è sia maschile sia femminile (il plurale invece è solo maschile: *gli echi*). Nell'espressione *Conosco un Eco che colleziona lauree honoris causa* l'apostrofo, ovviamente, non ci va. Il professore è un maschietto.

ENTUSIASTA Un uomo *entusiasto*? Non me lo vedo.

EMAIL È FEMMINA? In inglese, salvo eccezioni, sono maschili o femminili le entità di cui si può determinare il sesso. Quando un vocabolo neutro arriva nella lingua italiana, quindi, tocca a noi decidere, in base a gusti, assonanze o associazioni d'idee. Per me, *email* è femminile: è rapida, efficace e può essere pungente. E poi l'associo all'idea di «posta». *Sms* è maschile (è un messaggio). *Web* e *film* sono maschili: evidentemente, i concetti di «rete» e «pellicola» (di cui sono l'esatta traduzione) non contano. Per riassumere: fate ciò che volete. L'importante è essere coerenti. *Un'email* all'inizio non può diventare *un email* tre righe più avanti.

FA'! DA'! DI'! STA'! VA'! Gli imperativi dei verbi *fare, dare, dire, stare, andare* vanno scritti con l'apostrofo.

FA, VA, STA. MA DÀ All'indicativo presente (terza persona singolare) l'accento NON ci vuole. *Lei fa, lui va, l'altro sta.* L'eccezione è *dà*, che vuole l'accento per non essere confuso con la preposizione *da.* Per esempio: *La fidanzata? Mi dà da fare.*

GLI E LE *Ora chiamo la prof, e gli dico che è proprio brutta.* Sconsigliato: meglio non dire cose che possono ferire l'amor proprio del corpo insegnante; ma se uno proprio non riesce a trattenersi, *chiama la prof, e le dice che è proprio brutta* (bella o brutta, è femminile). *Gli* per *le* ha precedenti illustri. Ma Boccaccio, Machiavelli e Verga avevano l'autorità per trasformare un errore in una licenza; il nostro, per ora, resta un errore. Anche se è chiaro: il pronome *le* dura poco. Come la fama dei tronisti, o certi governi italiani.

GLI E LORO L'uso di *gli* al posto di *loro, a loro, a essi, a esse* è ormai accettato in quello che Francesco Sabatini definisce «italiano dell'uso medio»; un altro linguista, Gaetano Berruto, classifica come «italiano neostandard»; e io chiamerei italiano che si può parlare senza rendersi ridicoli. Quindi: *Ora chiamo i professori, e gli dico che mi sto addormentando.*

IDEOLOGI O IDEOLOGHI? Vanno bene tutti e due, ma datevi una regola, per questi plurali. La mia (mutuata da Luciano Satta) è questa: plurale in *-gi* per i nomi che indicano persone (*psicologi, sociologi, ideologi*); plurale in *-ghi* (e in *-chi*) per quelli che indicano cose o concetti (*prologhi, monologhi, scarichi, incarichi*). Però, cavolo: *chirurghi* suona meglio di *chirurgi.*

MA? Si può iniziare un periodo con *ma?* Certo, e sta pure bene: è come partire con la spinta. Lo sapevano anche Carducci («Ma di dicembre, ma di brumaio / cruento è il fango, la nebbia è perfida») e Montale («Ma questo posso dirti, che la tua pensata effige / sommerge i crucci estrosi in un'ondata di calma»).

MINISTRO, LA GONNA! Il femminile dei nomi che indicano incarichi e professioni sembra fatto apposta per litigare: la questione mescola infatti grammatica, logica, sensibilità e correttezza politica. Un consiglio: usiamo il femminile, quando esiste. Quindi: *l'ambasciatrice, l'amministratrice delegata, la professoressa, l'infermiera, l'avvocata* (c'è anche nel «Salve Regina»: *Orsù, dunque, Avvocata nostra...*). Il problema, qual è? Molte donne preferiscono la qualifica al maschile. Dicono: «Vocaboli come *ministro, ambasciatore, direttore* descrivono la funzione, e perciò devono restare immutati!». Mi chiedo: non è, invece, che le signore considerano quel maschile una conquista accessoria? Lasciando così trapelare un sottile (e immotivato) complesso di inferiorità?

Non solo: l'uso del maschile provoca anche problemi di concordanza.

Il ministro era graziosa nella sua gonna a fiori
   è grammaticalmente sbagliato.

Il ministro era grazioso nella sua gonna a fiori
   è un po' equivoco.

La ministro era graziosa nella sua gonna a fiori
   fa schifo.

NEOFITI E DUBBI Si pronuncia *neòfita*, riprendendo la parola greca *neóphytos* (composto di *néos*, nuovo e *phyein* piantare, generare). La pronuncia *neofìta* – con l'accento sulla *i* – riflette quella tardo-latina, e non è altrettanto sexy (filologicamente parlando).

PERCHÉ SÌ! *Né* e *perché* vogliono l'accento acuto. Usatelo: è la formula corretta. Sebbene violentata nella parlata di quasi tutte le regioni d'Italia, le *e* di *né* e *perché* sono chiuse (*é*). Invece *è*, voce del verbo *essere*, vuole l'accento grave.

PRÌNCIPI E PRINCÌPI L'italiano non richiede l'accento all'interno di una parola, ma se temete confusione, mettetelo comunque: *circùiti* e *circuìti*, *còmpiti* e *compìti*, *prèsidi* e *presìdi*, *prìncipi* e *princìpi*, *sèguito* e *seguìto*, *sùbito* e *subìto*.

QUAL È Non vuole l'apostrofo. Si tratta infatti di un troncamento, non di un'elisione. In altre parole: *qual* sta in piedi da solo. Anche *tal, fin, suol* e *vuol* non si apostrofano, per lo stesso motivo.

RUBRÌCA PUDÌCA In entrambi i casi l'accento va sulla *i*. Nel dubbio, ricordate che i vocaboli italiani tendono a essere piani (accento sulla penultima sillaba), non sdruccioli (accento sulla terzultima). Altri vocaboli dalla pronuncia infida sono questi (li prendo da un opuscolo di Bruno Migliorini, *Piccola guida di ortografia*, pubblicato da Olivetti per i dipendenti nel 1957).

Piani: *adùlo, cosmopolìta, cucùlo, edìle, guaìna, leccornìa, mollìca, regìme, salùbre, scandinàvo, utensìle, valùto, zaffìro.*

Sdruccioli: *àbrogo, àlacre, àvoco, càlibro, càtodo, circùito, cònfuto, dàrsena, dèrogo, èvoco, ìmplico, mìtigo, pànfilo, sègrego, stìpulo, trànsfuga, ucràino, vìolo.*

In caso di dubbi, esistono i vocabolari. Prendete l'abitudine di aprirli, ogni tanto. Non mordono, ed emanano un buon profumo di carta.

MASOTEST FINALE
(POCO TEST, MOLTO MASO)

Trovate l'errore in questi brevi testi, pubblicati nel 2007.

Una squadra che vince con la tracotante facilità dell'Inter non può che risultare odiosa a tutti (tranne che ai suoi tifosi). Il gruppo nerazzurro può dunque godersi la solida impopolarità di questi mesi, dopo lunghi anni in cui era simpatica a tutti perché era diventata un'impagabile oggetto di dileggio.

Michele Serra, «La Repubblica»

Una squadra di calcio è un'idea platonica: costituisce l'archetipo, l'oggetto di una visione o intuizione intellettuale. Diversamente dal mondo sensibile, molteplice e mutevole (allenatori che vanno, giocatori che vengono, presidenti che vendono), l'idea rappresenta l'essenza intelligibile, sottratta al mutamento. Per questo bisogna prestargli attenzione.

Beppe Severgnini, «Gazzetta dello Sport»

L'ultimo che esce, chiuda il periodo

Non tutti i libri di studio lasciano ricordi. Diciamo che *Grammatica italiana*, scritto da Salvatore Battaglia e Vincenzo Pernicone, pubblicato a Torino da Loescher e dotato di un'inquietante copertina viola, non è stato una presenza costante sul mio tavolo, durante il ginnasio (1970-72). Scrivendo queste *Lezioni semiserie* l'ho ripreso in mano, e devo dire che non è male.

Il manuale spiega, con chiarezza, che un periodo è formato da due o più proposizioni. La sintassi è il rapporto tra queste proposizioni. L'esempio che segue non è opera di Battaglia e Pernicone, ma rende l'idea:

Lucilla lo guardava e non capiva: il dee-jay somigliava a Romano Prodi o a George Clooney?

Si tratta di un periodo formato da tre proposizioni indipendenti e coordinate: ognuna sta in piedi da sola.

1. *Lucilla lo guardava*
2. *e non capiva*

3. *il dee-jay somigliava a Romano Prodi o George Clooney?*

Prendiamo invece questa frase:

Lucilla guardava il dee-jay perché non capiva se somigliasse a Romano Prodi o a George Clooney.

È formata da una principale (*Lucilla guardava il dee-jay*), una subordinata causale (*perché non capiva*), una subordinata interrogativa indiretta (*se somigliasse a Romano Prodi o a George Clooney*).

Lucilla – è evidente – quella sera aveva bevuto. Chi l'ha descritta, invece, era lucido, e sapeva ciò che faceva. Nel primo esempio, grazie ai due punti (sempre siano lodati), ha reso il suo pensiero più immediato; nel secondo caso, ha usato correttamente il periodo ipotetico.

Un paragrafo è una divisione interna di un testo: può essere formato da uno o più periodi, e si conclude con un punto a capo. Non è un'unità di lunghezza, ma di pensiero. Se il concetto è complesso e avete molte cose da dire, il paragrafo sarà più lungo; in caso contrario, sarà breve. L'equivalenza dei paragrafi è solo una mania estetica. Chi prova turbamento davanti a un paragrafo formato da poche parole, probabilmente, ordina i libri sugli scaffali a seconda dell'altezza. Alla larga.

Un consiglio: i paragrafi troppo lunghi, formati da periodi complessi, ognuno dei quali contiene diverse proposizioni, sono da evitare. Se il concetto è esaurito, andate a capo. Certo, anche dopo quattro parole.

Prendiamo una rubrica che ho scritto per «Io Donna», settimanale del «Corriere della Sera». Inizia così:

Sono un estimatore dei miei giovani connazionali, che considero mediamente più svegli di tanti coetanei stranieri. Essere italiani è infatti un lavoro a tempo pieno. Anche se non risulta nei curriculum, battersi contro stranezze e furbizie è un'esperienza formativa, tempra lo spirito e prepara alla vita.

Nessuno s'offenderà, quindi, se elenco alcuni errori al momento di cercare lavoro (passaggio difficile, che rende incerti e vulnerabili gli anni dai 25 ai 30).

Ecco alcuni atteggiamenti controproducenti.

Come vedete, il primo paragrafo (47 parole, tre periodi, nove proposizioni) è più lungo del secondo (26 parole, due periodi, cinque proposizioni) e del terzo, che si limita a introdurre un elenco (4 parole, unica proposizione). Ogni paragrafo serve a uno scopo ed è chiaro (mi auguro!). La lunghezza è irrilevante.

***

«L'importante è finire...» cantava Mina qualche tempo fa. Saper chiudere è importante. Il testo – di regola – deve avere un andamento musicale, dato dal ritmo dei periodi e dalla successione dei paragrafi. Ognuno dei quali deve partire lentamente, crescere, raggiungere l'apice (gli inglesi, usando un termine pugilistico, parlano di *punch line*, le ultime parole di un racconto o di un concetto, quelle che lo rendono divertente o sorprendente). La pausa – segnalata dal punto a capo – serve al lettore per capire/gustare ciò che volevate dire. E lo prepara al paragrafo successivo.

Questa regola prevede numerose eccezioni, che imparerete scrivendo (e leggendo). È possibile che la *punch line* venga rimandata per alcuni paragrafi; o che sia seguita da un'annotazione in tono minore (una sorta di post scriptum, utile a ribadire il concetto, o ad attenuarlo).

L'articolo citato sopra continua così:

L'ANSIOSO Conoscete tutti il candidato ansioso. Davanti a una proposta che richiede tempo, comincia a tempestarti di email, sms, dubbi e domande. Si fa? Non si fa? Quando, come? Non ancora, perché?! È vero che noi adulti stagionati – seduti belli comodi sopra carriere, vantaggi e privilegi – siamo spesso inaffidabili. Ma torturarci non serve.

Così dicono, almeno.

La chiusura più difficile è, ovviamente, quella dell'ultimo paragrafo. Il modo in cui usciamo da un testo, spesso, fa sì che questo testo venga ricordato, o dimenticato con sollievo.

Qual è la formula migliore? Quella che non lascia dubbi: avete detto quel che dovete dire, e non avete altro da aggiungere. Se è memorabile – senza essere stucchevole – tanto meglio.

Chi scrive dovrebbe dedicare alla chiusura la stessa attenzione che un attore dedica all'uscita di scena. Con un vantaggio: spesso, scrivendo, la buona chiusa è già presente qualche riga sopra. Un piccolo taglio, ed è fatta.

Torniamo al nostro pezzo. Continua così:

LA MINUZIOSA Vuole sapere tutto subito, in ogni dettaglio. Nei colloqui di lavoro s'informa, per prima cosa, su orari, ferie, permessi, scatti. Poi si stupisce se prendono un altro.

L'IPERDISPONIBILE Accetta ogni cosa, e lo dice: orari folli, retribuzioni ridicole, prospettive inesistenti. In questo modo, si svaluta. Non basta la buona volontà (quella si dà per scontata): il mondo del lavoro è alla ricerca di affidabilità e idee (chiare, se possibile).

LA SINDROME DI GREC (Grato, Riconoscente, Eccitato & Commosso). Il Grec è un concentrato dei difetti precedenti, e ne aggiunge altri. Agli appuntamenti, arriva trafelato; parlando, s'emoziona; quando viene lodato, ha gli occhi lucidi. Se poi le cose non vanno per il

verso giusto, apriti cielo: il Grec Deluso diventa una bel-
vetta astiosa.

Ecco, è tutto: quattro atteggiamenti discutibili, quattro
errori da evitare quando si è giovani. Meglio aspettare la
mezza età, per sbagliare. Guardate noi, come siamo bravi.
~~Continuiamo a far prediche, dimenticando che neppure
noi le ascoltavamo.~~

Visto? L'ultima frase era prevedibile, retorica e provocava
una sorta di anti-climax. È bastato toglierla, e l'articolo si
chiude in maniera efficace, lasciando un buon sapore.

Come questo libro, spero.

Post scriptum

Scrittori si diventa?

Qualche pezzo sul giornale, alcune visite nelle scuole, molti pacchetti nella posta, migliaia di email, il lavoro per queste *Lezioni semiserie*. Ormai non ho dubbi. Gli italiani forse leggono poco, ma scrivono molto. La posta elettronica ha allenato le dita e i cervelli: mettere per iscritto i pensieri è diventata una consuetudine. Per un Paese di cultura sensuale (immagini, suoni, odori, sapori) è una rivoluzione.

La nuova abitudine alla scrittura sta generando fenomeni curiosi. Qualcuno, per esempio, ha capito che l'ispirazione è importante e le idee (chiare, possibilmente) restano fondamentali. Meno evidente è un altro aspetto, che a tutti voi dovrebbe essere chiaro. Scrivere è una tecnica, e si può imparare.

La musica, il disegno e lo sport sono impietosi: una chitarra, un foglio bianco e un campo di calcio non perdonano. Se non riesco a ottenere una melodia, un ritratto o un tiro in porta, non posso strillare: «Voi non mi capite!». Il guaio è che molti scrittori improvvisati scrivono come io canto. E chi mi ha ascoltato sa che si tratta di un'esperienza agghiacciante.

Ripeto: scrittori si diventa. E mi auguro che anche questo libro sia servito a qualcosa. Non c'è bisogno di puntare alle vette di Hemingway (anche se la sua semplicità, frutto di fatica, resta un modello). Basta saper scrivere un'email efficace, da cui possono dipendere tante cose (un incontro, un amore, un affare in più e un equivoco in meno).

I miglioramenti sono stati notevoli, in questi anni. Le lettere al forum «Italians» – aperto dal 1998 – lo dimostrano. I primi tempi erano contorsioni intimiste; oggi sono punti di vista espressi con efficacia, utilizzando registri diversi (stupore, preoccupazione, sarcasmo, indignazione ecc.). Saper scrivere è questo, nient'altro.

La nuova capacità diffusa ha portato vantaggi, ma anche qualche problema. Per esempio, la grafomania (quello che ti bombarda di dotte dissertazioni sulla Juventus, e pretende una risposta ogni volta). Oppure la «pubblicite». Come, cos'è? È il desiderio, la passione, l'ansia per la pubblicazione; è il piacere erotico di vedere le proprie parole tra due copertine. È un'affezione seria alle vie letterarie, e richiede gli opportuni antibiotici. Eccoli.

1. Ricordate che la pubblicazione è irrevocabile, e non è di per sé motivo d'orgoglio. Fatevi un lungo, circostanziato, impietoso, ripetuto esame di coscienza, prima di rivolgervi ad amici e parenti per quello che, comunque, è un giudizio difficile. Non tutti, infatti, avranno il fegato di dirvi: «Giovanni, l'ho letto. È noioso, infantile e mi ha fatto perdere un sacco di tempo. Per fortuna l'hai stampato su una facciata, così l'ho dato a mio figlio per scarabocchiare».

2. Ricordate che l'editore è un imprenditore (bravo, meno bravo), valuta il prodotto e calcola il rischio. Se è convinto di poter vendere, pubblica, e paga i diritti. Chi chiede soldi all'autore per stampargli il libro non commette un reato: l'illusione dolosa non sta nel Codice Penale. Ma si tratta di uno stampatore, non di un editore, anche se si fa chiamare così. Qualcuno starà pensando: se

pago duemila euro per un orologio, perché non tirarne fuori tremila per un libretto col mio nome sopra? Risposta: perché l'orologio resta sul polso del proprietario, il libretto finirà nelle mani di tanti innocenti.

3. Ricordate che esiste internet. Blog e siti sono il luogo ideale (e gratuito!) per affrontare la prova del pubblico. Certo, non è facile acquistare visibilità; tuttavia non è impossibile. Sono ormai molti i libri nati sui blog. La carta può essere romantica, è vero. Ma – soprattutto per gli esordienti – è anche pesante, ingombrante e costosa.

Diciamo, però: non siete vanitosi, avete imparato a scrivere, avete superato l'esame di coscienza e quello degli amici, siete convinti che il vostro romanzo/saggio sia buono, e piacerebbe. Come trovare un editore?

La risposta non è facile. Il narcisismo e la grafomania ingolfano tutti i canali e rendono difficile la selezione. Non esiste una via canonica alla pubblicazione. Per la saggistica (*non fiction*), il banco di prova restano i giornali: la dimostrazione sta nelle liste dei bestseller, dominate dai giornalisti. Esiste un conflitto di interessi? Certo, e non solo in Italia: le recensioni e le segnalazioni reciproche aiutano molto i giornalisti-scrittori (sono uno di loro, lo so).

La narrativa pone problemi più intricati (la poesia, problemi quasi insolubili, di fronte ai quali dichiaro la mia incompetenza). Qualsiasi editore vi dirà che la grande maggioranza dei romanzi che giungono, non richiesti, in casa editrice sono impubblicabili. Spesso non si arriva neppure a un giudizio sul contenuto: le carenze sono grammaticali e sintattiche, e rendono difficile la comprensione (se interpellato, l'autore reagirebbe sdegnato. I suoi non sono periodi ipotetici sbagliati, ma un nuovo genere letterario!).

Nella massa, ci sono però anche opere di talento. Come scovarle?

I concorsi per esordienti potrebbero avere un ruolo importante: ma di giurie coscienziose, disposte a leggere una cascata di testi, se ne vedono poche. Dietro le migliaia (!) di premi letterari italiani ci sono quasi sempre ambizioni locali, promozione turistica o commerciale, velleità personali, scambi di favori, organizzazioni artigianali. I premi per gli inediti non fanno eccezione.

Restano gli agenti letterari. Negli Stati Uniti sono da tempo la cinghia di trasmissione tra gli autori e gli editori, che sperano di trovare la pepita d'oro nella montagna di ghiaia.

Anche in Italia, per fortuna, qualcosa si sta muovendo. Alcune agenzie letterarie, dietro compenso, sono disposte a leggere il vostro lavoro, e restituirvi una relazione scritta. State tranquilli: se si convincono che il prodotto è buono (e potrebbe vendere), lo proporranno a un editore. È nel loro interesse. Qualcuno starà pensando: ma giornalisti, personaggi noti e raccomandati non devono affrontare questa trafila! È vero. Arrivano facilmente a ottenere un giudizio dall'editore, ma non necessariamente la pubblicazione. Oppure riescono a pubblicare. Ma sarebbe stato meglio se non l'avessero fatto.

È tutto. Gli aspiranti scrittori sanno cosa (non) fare. Tutti gli altri siano orgogliosi di saper scrivere un'email efficace. Se queste pagine sono servite allo scopo, sono contento.

SOLUZIONI
MASOTEST
E SADOQUIZ

Pag. 27

Giovò – *non deriva da* Giove, *bensì dal latino* iuvare.

Pag. 35

1 C, 2 H, 3 I, 4 D, 5 A, 6 R, 7 E, 8 T, 9 N, 10 M, 11 U, 12 F, 13 P, 14 L, 15 S, 16 G, 17 B, 18 V, 19 O, 20 Q, 21 Z

Pag. 41

1 E, 2 H, 3 G, 4 A, 5 L, 6 I, 7 B, 8 C, 9 D, 10 F

Pag. 49

Per essere credibile, un verbale d'infrazione dovrebbe essere scritto più o meno così:

Il giorno 16 maggio dell'anno 2007, il sottoscritto Mazzi Prisco, nelle sue funzioni di ufficiale della Polizia Informatica redige l'allegato verbale n. 00098361420 contestato immediatamente dal Nucleo Operativo di Milano, per la presunta violazione dei commi 11 e 16 dell'art. 148 nonché dei commi 1 e 7 dell'art. 180 delle norme sul copyright e la proprietà intellettuale, commesse con l'elaboratore elettronico (di seguito, «computer») di proprietà dell'opponente, in data 11.04.2007, alle ore 15,25. Tramite esame del registro del server è stata dimostrata una manovra di scaricamento file in formato Mp3 dal sito www.piraticattivoni.com, portandosi nella parte sinistra della carreggiata ed ostruendo la corsia opposta al suo senso di marcia.

Il verbale di infrazione considera assolutamente certo che Lei abbia potuto effettuare la manovra di cui sopra. Trovandosi il posto di blocco in una rientranza della Rete (di seguito «internet»), percorsa dal presunto trasgressore, gli stessi, proprio per la presenza di cui sopra, erano nell'assoluta impossibilità di poter notare qualsivoglia manovra effettuata dal ricorrente.

Nell'immediatezza si dichiara appunto quanto innanzi dedotto ribadendo che egli era in coda preceduto da altri utenti internet e regolarmente nella propria corsia e che mai aveva oltrepassato la striscia continua che lo divideva dalla corsia opposta.

Viene fissata l'udienza di comparizione per il giorno 13.07.2012, la stessa differita se il difensore dichiarerà di aderire alla proclamata astensione dell'Avvocatura civile. In questo caso farà pervenire in cancelleria la lettera in data 19.06.2006 con la quale delega il N.O.R. alla tutela giudiziaria e lo invitava ad inviare la documentazione ex art. 23 L.689/81, non poi inviata. Il difensore del reponsabile dell'infrazione, può chiedere la revoca del provvedimento, oggetto del presente verbale con vittoria di spese o quantomeno compensazione delle stesse.

Grazie per la collaborazione.

Pag. 54

Ambedue. Palmiro Togliatti gridò ripetutamente «Mi dia del lei! Ha capito? Mi dia del lei!», durante un dibattito a Montecitorio. Silvio Berlusconi ha pronunciato parole simili durante un diverbio con Diego Della Valle, in occasione di un incontro di Confindustria a Vicenza.

Pag. 61

Probabili traduzioni:

1. Le scrivo da qui in quanto alcune delle relazioni sociali nel Kenya lei le auspicava in un articolo sul Corriere, anche agli italiani. Qui in Kenya infatti, quando incontri o incroci 1 persona, è buona educazione sorriderle e salutarla (JAMBO).

2. Bisogna introdurre nella nostra vita, nella Società un parametro etico – Non si può... restare alla finestra...? per "UOMINI" della

Sua – "Nostra" sensibilità..., non <u>Possiamo</u>... accettare, inermi... il "Diploma".. di Imbecillità!.... che ci viene – gratuitamente dato..?! da.. "<u>questa</u>" Società malata... di Indifferenza, in "<u>questo</u>.. <u>mondo</u> marcio... e, governato, amministrato... aimeh..

3. io, sconosciuta, non vengo degnata di risposta ad un curricula, o a lettere di autopresentazione: mentre diversi figli di lavorano nei giornali, e probabilmente non hanno né laurea né hanno mai fatto scuole di giornalismo (ammesso che servano ancora)

Pag. 70

Brevi manu
Ex abrupto

Pag. 96

I treni italiani sono luoghi di confessioni di gruppo e assoluzioni collettive; perfetti, per un paese che si dice cattolico. Ascoltate cosa dice la gente, guardate come gesticola: è una forma di spettacolo. Dite che le due cose – confessionale e palcoscenico – sono incompatibili? Altrove, forse. Non in Italia.
Siamo una nazione dove tutti parlano con tutti. Non è stata la modernità a cambiare la piazza del Sud, ma la piazza del Sud a influenzare la modernità italiana. Provate a seguire le conversazioni in questo treno diretto a Napoli (via Bologna, Firenze e Roma). Sono esibizioni pubbliche, piene di rituali e virtuosismi, confidenze inattese e sorprendenti reticenze. «Uno raggiunge subito una nota di intimità in Italia, e parla di faccende personali»: così scriveva Stendhal, e non aveva mai preso un Eurostar.

Pag. 104

Boh!

Pag. 107

«Adriano? Si è tuffato.»

Pag. 120

C) 26% *(26 errori in 99 parole, pari al 26,26%)*

Pag. 121

Acquiescenza *(col* cq*) e* quisquilia *(con la* q*)*

Pag. 126

A. Strisce (*senza i*) *e* insufficiente (*con la i*)

Pag. 127

B. Va *non vuole l'accento (ma l'apostrofo)*

Pag. 131

C. Farraginoso – *doppia* r, *una sola* g. *Quindi, due errori in una parola!*

Pag. 135

E) Lavoratori dell'industria metalmeccanica, dell'installazione di impianti e settori affini

Pag. 140

TEMPO
È colpa dell'effetto-serra.
STORIA
I giovani sono diventati menefreghisti/qualunquisti.
VITA
Non c'è più tempo per dedicarsi a se stessi.
AMORE
Un uomo non dev'essere bello, ma interessante.
POLITICA
Destra o sinistra, sono tutti uguali.
MEDIA
Internet è una bella invenzione, ma i giovani stanno troppo al computer.
VIAGGI
Gli italiani li trovi dappertutto.

Pag. 148

C) Un volo a basso prezzo (*low cost*), scritto sbagliato

Pag. 154

A) Niccolò Machiavelli (*Dell'arte della guerra,* 1521)

Pag. 160

L'avete fatto VERAMENTE? Vergogna: Calvino non si tocca.

Pag. 165

Abulico (*vuol dire* svogliato) *ed* endemico (*vuol dire* cronicamente diffuso)

Pag. 168

Perché, nonostante gli impegni assunti con l'Antitrust, nel 2007 le banche hanno aumentato i costi dei conti correnti, già i più alti del mondo, e le commissioni sui prelevamenti bancomat da altra banca, che passano da 1,81 euro a 2,10 euro, con un rincaro del 16%, frutto di un «accordo interbancario» denunciato dall'Adusbef. Il Garante s'è limitato a inviare lettere di «auspici» ad ABI e COGEBAN, invece di sanzionare comportamenti scorretti e vessatori. Un'altra prova che il Cliente, *finché paga e tace, è maiuscolo; ma il* consumatore, *in Italia, resta sempre minuscolo.*

Pag. 171

Scarti, *che viene dal gioco delle carte («Eliminare le carte da gioco che si hanno in più o si rifiutano», P. Aretino, 1556).*

Pag. 174

C) Silvio Berlusconi, lettera alla moglie Veronica (2007)

Pag. 181

Serra: un'impagabile (*l'apostrofo non ci vuole, oggetto è maschile*). *Severgnini:* prestargli (idea *è femminile; quindi,* prestarle).

Indice delle parole
e degli argomenti

Indice

Terza parte
Disagio e punteggiatura

Quarta parte
Riabilitazione

L'autore

Beppe Severgnini (Crema 1956) è un commentatore del «Corriere della Sera» (dove conduce dal 1998 il forum «Italians», www.corriere.it/severgnini), scrive per «La Gazzetta dello Sport», ha lavorato per «The Economist» (1993-2003) ed è autore di dodici bestseller, tutti pubblicati da Rizzoli.

La testa degli italiani (2005), uscito negli Stati Uniti col titolo *La Bella Figura. A Field Guide to the Italian Mind* (Broadway Books 2006) è diventato un «New York Times Bestseller». Anche *Un italiano in America* (1995, post scriptum 2001) ha scalato le classifiche Usa col titolo *Ciao, America!* (Broadway Books 2002).

Degli altri suoi libri, il primo è stato *Inglesi* (1990), seguito da *L'inglese. Lezioni semiserie* (1992), *Italiani con valigia* (1993), dall'autobiografia *Italiani si diventa* (1998), e da *Manuale dell'imperfetto viaggiatore* (2000), *Manuale dell'uomo domestico* (2002), *Manuale dell'imperfetto sportivo* (2003). Oltre naturalmente alla trilogia neroazzurra *Interismi* (2002), *Altri interismi* (2003) e *Tripli interismi!* (2007).

Ha insegnato nelle università di Parma, Pavia, Milano/Bocconi, Middlebury College (Vermont).

Nel 2004 è stato votato «European Journalist of the Year» (www.ev50.com).

www.beppesevergnini.com

I libri di Beppe Severgnini
nella Bur

* Di prossima pubblicazione.

Finito di stampare
nel mese di settembre 2007 presso il
Nuovo Istituto Italiano d'Arti Grafiche - Bergamo

Printed in Italy